Bibliothek der
phantastischen Abenteuer
Herausgegeben von
V. C. Harksen

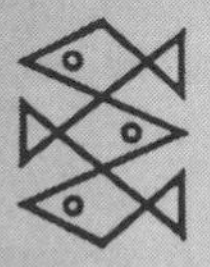

Über dieses Buch Wenn ein Mann glaubt, sein Kopf schwelle an und ab; wenn ein Graf sich für einen Spaniel hält; wenn ein Mann seine Frau erschlägt wegen der Karriere ihres nicht vorhandenen Sohnes: Kopfkalamitäten. T. H. White kann bei seiner fantasy aufs herkömmliche Arsenal von magischen Schwertern, bösen Mächten und guten Rittern verzichten. Das Phantastische siedelt bei ihm im Kopf, ihn interessieren die geheimen Wünsche und Begierden, die Träume, Ängste und Wahnideen. Und er beobachtet genau, wie Innenwelt und Außenwelt aufeinanderprallen. Risse in der Wirklichkeit tun sich auf, wir alle spüren sie. Sie sind so haarfein, daß erst die Wortkunst Whites sie sichtbar macht.
Seine intelligent-versponnenen Fantasy-Romane werden von den deutschen Lesern längst geliebt. In »Kopfkalamitäten« nun zeigt sich seine unendliche Fabulierfreude und mitfühlende Kopf-Arbeit, komprimiert in sechzehn Geschichten: Stücke voll Witz und Spleen, Zärtlichkeit, Gewalt und Trauer, Lebenslust und Weisheit.

Über den Autor T. H. White (1906–1964) wurde in Indien geboren, wo sein Vater britischer Kolonialbeamter war. Nach seiner Schulzeit in Cheltenham / England besuchte White die Universität von Cambridge und war dann sechs Jahre Lehrer, bevor er sich entschloß, hauptberuflich als Schriftsteller zu arbeiten. Er verfaßte Gedichte, Bücher über Jagd und Sport und sogar Kriminalgeschichten. Sein Hauptwerk sind die fünf großen Artus-Romane, eine teils recht ironische Wiedergabe des Sagenkreises um König Artus und seine Ritter. White war ein umfassend gebildeter Mann, dessen Kenntnisse auf merkwürdigsten und abseitigsten Gebieten in seine Bücher einflossen und sie stellenweise zu wahren Fundgruben esoterischer Informationen machen. Sein Roman ›Schloß Malplaquet oder Lilliput im Exil‹ erschien als Band 2702 in der Bibliothek der phantastischen Abenteuer. ›Der Herrscher im Fels‹ erschien als Fischer Taschenbuch Band 8260.

T. H. White

Kopfkalamitäten und andere Geschichten

Aus dem Englischen
von Rudolf Rocholl

Fischer Taschenbuch Verlag

Veröffentlicht im Fischer Taschenbuch Verlag GmbH,
Frankfurt am Main, November 1987

Lizenzausgabe mit freundlicher Genehmigung
des Diederichs Verlages Düsseldorf/Köln

Die englische Originalausgabe erschien 1981 unter dem Titel
›The Maharajah and Other Stories.
Collected and with an introduction by Kurth Sprague‹
bei Macdonald, London
Umschlaggestaltung: Die Titelillustration von Claus-Dietrich Hentschel, Konstanz,
zeigt einen Ausschnitt seines Acrylbildes »Der Solist« (1987; 30x24 cm);
die Typographie besorgte Manfred Walch, Frankfurt am Main
Gesamtherstellung: Clausen & Bosse, Leck
Printed in Germany
ISBN-3-596-22730-5

Inhalt

Sanftes Säuseln zu Passenham

Der Professor sagte: »Nur ganz wenige Menschen kriegen jemals Geister zu Gesicht, weil diese ortsgebunden sind. Und Passenham ist eine vorzügliche Örtlichkeit für Geister: nahe Stony Stratford. Dort gibt's mehr Geister als Steuerzahler.«
»Von all diesen übernatürlichen Geschichten«, meinte die Gräfin geringschätzig, »bleibt am Ende nur ein Gerücht übrig. Sogar der Heilige Geist ist mir immer eine ganze Portion unbestimmter vorgekommen als die anderen Glieder der Dreieinigkeit. Haben Sie jemals selber so ein Geschöpf zu Gesicht bekommen?«
»In Passenham habe ich mit mehreren eine Art von Konzert erlebt. Geister lieben Musik und nehmen dafür allerlei in Kauf.«
»Haben Sie wirklich einen gesehen?«
»Nein, das nicht«, erwiderte der Professor zögerlich.
»Also erzählen Sie die Geschichte schon – vorher geben Sie ja doch keine Ruhe.«
»Ich erzähle keine Geschichten zu meinem eigenen Vergnügen«, sagte der Professor würdevoll.
»Natürlich tun Sie das, Jacky. Machen Sie nicht so einen Aufwand. Sie wissen doch selbst ganz genau, daß Sie niemandes Interesse an der Sache gelten lassen, außer Ihrem eigenen. Und außerdem erfinden Sie alles auch noch selbst.«
Der Professor lächelte geschmeichelt.
»Das ist meine kreative Ader«, sagte er. »Aber diese Geschichte ist ganz und gar wahr.«
»Schön. Ich will Ihnen glauben.«
»Ganz klar ist sie wahr. Passenham ist ein wirklicher Ort. Sie können's auf jeder Landkarte der Grafschaft finden. Wie könnte ich Geschichten über einen wirklich vorhandenen Ort erfinden? Ha doch: Sie können hingehn und sich selbst überzeugen.«
»Ergebensten Dank«, sagte die Gräfin. »Wer möchte das schon? Sich einen Geist ansehn? Eklige Geschöpfe, widerwärtig – riechen nach Schimmel und Moder.«

»Moder«, wiederholte der Professor mit Behagen. »Schimmel, Moder, Modder. Das darf man rechtens sagen. Geister lieben nicht nur Musik, sondern auch modrigen Nebel. Musik und Moder. Dunst. Feuchtigkeit. Die Schwaden-geschwängerte Luft, in der alles vermodert: weich wird und feucht und labbrig und fedrig. Giftpilze, Schwämme, wissen Sie, und die abgestandene stockige Kellerluft, Grüfte, den ausgeblichenen zart-grünlich-blauen Pelz in den Ritzen. Die stummen Schwaden lassen ihre Körper bis aufs Gebein verrotten, und dasselbe brauchen sie wohl, um sich aufzurappeln und wieder zu Kräften zu kommen. Die Feuchte hat etwas Greifbares, Griffiges, etwas Ektoplastisches, mit dem ein fahler und fauliger, für Menschen-Augen wahrnehmbarer Körper aufgebaut wird.«

»Ich finde, Sie sind eklig«, sagte die Gräfin.

»Ich habe ja nur versucht, das Phänomen Passenham zu erklären«, erwiderte der Professor. »Der Ort liegt niedrig am Ufer der Ouse. Die Ouse ist ein richtiger Spuk-Fluß, wie schon der Name vermuten läßt. Schleimig, still und grünlich fließt er bedächtig und kalt durch die überflutete Winterlandschaft –: mit sich trägt er die glubsch-äugigen Leichen ertrunkener Maiden, bewacht von behäbigen Barschen und plumpen Plötzen und ein paar Forellen, die sich von Unrat nähren. Die hungrigen Hechte stehen spöttisch-steifgefroren im Wasser, das sich mehr staut als es strömt. Sogar die Mühlräder drehen sich nicht mehr – Radschaufeln, die sonst Selbstmörderinnen sammelten (schwangere Bauernmägde ohne Vater für ihr Kind zogen die nasse Stille dem lästerlichen Gerede der dörflichen Lastermäuler vor). Zum Beispiel Nancy Webb von Passenham Mill. Die geht jedes Jahr mit einem schrecklichen Schrei durchs Wehr, ihr Kind in den Armen; und ihre Knochen krachen und klappern in dem riesigen Rad wie Feuerwerkskörper. Dem Fluß macht das nichts aus. Niemanden schert's. Schlick und Schlamm, sagen die Bewohner, schlack und schlimm.«

»Scheußlich«, sagte die Gräfin.

»Schlabbrig trifft's auch. Perlen sind, die ihre Augen waren. Nur wenige machen sich die Schönheit von Shakespeares Beschreibung klar. Bei Perlen denken sie an Juwelen, an kostbares Geschmeide, von wohlhabenden Witwen wirkungsvoll bei Premieren zur Schau getragen. In Wirklichkeit sind's weißliche Steine, die bleichen klebrigen Absonderungen von Austern: eine für die Augen von Wasserleichen besonders passende blasse Glasaugen-Farbe. Ein gekochter Schellfisch sieht ganz ähnlich aus.«

»Könnten wir Nancy Webb nicht in Frieden lassen?«

»Sicher. Sie ist der unwichtigste Geist von Passenham. Ich tat ihrer nur Erwähnung, weil sie zufällig in der Ouse schwebt, und die Ouse ist für eine Beschreibung des Ortes unumgänglich. Die wabernden Nebelschwaden, wissen Sie, die kommen daher. Das Modern und der Modder. – Musik und Modder. Das Dorf liegt am Fluß: platt und abgeschieden. Es hat jetzt nur ein paar Einwohner – lebende Bewohner, meine ich; denn die toten, die kommen und gehen im Nebel. Sie säumen die Treidelpfade und trödeln zwischen Hecken und Zäunen. Nebel zu Nebel. Der Mann, der die neuen Mägde von Stony Stratford zum großen Haus fährt, sagt immer zu ihnen, wenn er sie an der Tür absetzt: ›Bis in vier Wochen dann, Miss. Länger bleibt keine.‹ Der einzige, der keine Angst vor Geistern hat, ist der alte Fowley, der Totengräber und Küster und Kirchendiener. Werden die Geister im November besonders lästig, marschiert er über die Dorfstraße, schwingt eine Sense und ruft in die lärmende Luft: ›Werd sie lehren, anständigen Leut nich zur Last nich zu fallen, wie, wo wir sie erst mühsam ins Grab gebracht ha'm.‹«

»Welche Art Geister herrschen in Passenham vor?«

»Ha ja, allerlei Arten und Sorten. Und man findet viele sonderbare Sachen. Der Farmer dort hat eine große Scheune. Ein wunderbares Gebäude, uralt und mit fabelhaftem Fachwerk. Eines Tages sind sie mal raufgeklettert, und da haben sie ein Skelett gefunden, ganz verkrampft und eingezwängt zwischen Balken und Dach. Unterm Herdstein im Pfarrhaus haben sie zwei Männer ausgebuddelt. Vielerlei Seltsames muß sich da zugetragen haben, an ausgefallenen Orten, immer verborgen in den kalten Nebelschwaden der Ouse.«

»Morde, wie?«
»Ha wohl. Morde und dergleichen. Zum Beispiel die drei Haderlumpen von Calverton, die einer alten Dame ihres Geldes wegen die Kehle durchgeschnitten haben; aber die hat man in Beachampton Grove geschnappt und hinter Calverton Church an einem Baum aufgeknüpft. Sie können noch heute außen an der Kirchenmauer tiefe Einkerbungen von ihnen sehn.«
»Scheint mir eine unfreundliche Gegend.«
»Kann man wohl behaupten. Aber die Geister sind freundlich. Nun, nicht gerade freundlich, aber umgänglich. Sie haben, scheint's, gern Gesellschaft – wie's im Nebel eben so ist. Im Nebel fühlt man sich einsam, abgeschnitten von seinen Mitmenschen, und wenn man da eine Gestalt aus der schwadigen Stille auftauchen sieht, schließt man sich automatisch an. Dem alten Küster ist oftmals jemand nebenher gegangen, doch der hat sich nicht groß was draus gemacht. Das war eben sein Umgang, als Totengräber, wenn man so will, denn schließlich hat er den meisten die Erde auf den Sarg geschaufelt. Ha, der alte Fowley hat sie eigentlich mehr oder weniger wie Karnickel angesehn: lästig, wenn sie in den Garten kommen und einem das Gemüse abfressen, mehr nicht. Insgesamt haben sich die Geister dem guten Fowley gegenüber eigentlich ziemlich respektvoll verhalten. Er ignorierte sie, ein bißchen zu auffällig, und dadurch fühlten sie sich minderwertig. Ist schon bitter, wenn man von jemandem geschnitten wird – und dabei noch christlich beerdigt, wie er's mit allen Geistern der Grafschaft getan hat: da müssen sie sich ganz schön mickrig vorgekommen sein. Das einzige Mal, wo's Fowley mit der Angst gekriegt hat – oder eher verdutzt gewesen ist –, ha, das war an einem späten Sonntag-Abend im Dezember. Wie gesagt: er war Küster, Kirchendiener, Totengräber – kurz: ein Faktotum. Zum Gottesdienst läutete er die Kirchenglocke. Er hatte eine Laterne bei sich, oben im Glockenstuhl, und die ging aus, denn sie war stürmisch, die Nacht. Er ließ das Glockenseil fahren, um die Laterne wieder anzuzünden, und währenddes läutete die Glocke weiter. Das erstaunte ihn nicht wenig. Also griff er im Dunkeln nach dem

Strang – aber unter seiner Hand war eine andere Hand am Seil, eine Skelett-Hand, kalt und schlüpfrig, und im Glockenstuhl roch's ein bißchen modrig-muffig. –
Ha doch: dann war da noch Robert Bannister, der Jägersmann. Die Whaddon und die Grafton sind häufig dort; manchmal auch die Bicester. Bei Tage kümmert keinen das Getrampel von Pferdehufen, das Erd-erschütternde Donnern vorüberjagender Gäule. Aber es ist nicht gar so angenehm, wenn man des nachts auf einer einsamen Straße Eisenhufe hinter sich her galoppieren hört: vielleicht ein richtiges Pferd, das durch ein offengelassenes Gatter von der Weide ausgerückt ist – ha, vielleicht aber auch nicht. Würde ein wirklicher Gaul in pechschwarzer Nacht durch die Gegend galoppieren? Und weshalb kommt er nicht näher? Bannister haben sie im Kirchhof einen schweren Stein aufs Grab gewälzt, damit er drunten bleibt. Aber, Gott segne ihn, wie der alte Fowley sagt: immerfort schläft der auch nicht. Reitet mit seiner ganzen klingenden Hundemeute rum – ganz schöner Wirbel, und im Dunkeln noch viel schlimmer, und dazu die Spuren und Trittsiegel am Grab. Hatte sich auf der Jagd den Hals gebrochen und war von seinem Pferd, einen Fuß im Steigbügel, mausetot heimgeschleppt worden. Genau so reitet er jetzt: ein klappernder Skeletterich hinter einem feurigen Pferd, und der Hals ist verdreht. Ein wunderhübscher Anblick: das Geläute der Meute und das Krachen der Knochen in einer Dezember-Nacht bei tosendem Nordwest.«
»Gott behüte!« rief die Gräfin und legte Holz im Kamin nach.
»Natürlich hat's dort auch eine Kutsche, für die sich die Tore mit rostigen Angeln öffnen, versteht sich, ha, und allerlei unglückliche Irrläufer, die aus der Zeit gefallen sind. Die ganze Gegend ist heimgesucht von ihnen, geht Fowleys Rede, ›aber sie tun dir nichts, Mann, wo du nich zuviel Schwefel abkriegst, so sie dir in die Nähe kommen tun‹.«
»Nach Cheltenham zu ist eine Kalesche«, sagte die Gräfin matt, »die fährt in einer Kurve auf die Motoristen los. Die kommen ins Schlingern und landen kopfheister im Graben. Aber man sieht sie nicht, wenn man die Augen zumacht.«

»Stimmt«, sagte der Professor. »Doch ich wollte Ihnen von meinem Konzert erzählen.«
»Bei solch einer Konversation«, sagte die Gräfin, »bekomme ich eine Gänsehaut.«
»Das macht die Feuchtigkeit«, sagte der Professor.
»Erzählen Sie weiter, wenn's denn sein muß.«
»Ich habe den Vicar von Passenham gekannt, einen Mann namens Brown. ›Paschtor‹ Brown, wie ihn der alte Fowley nannte. War ein gedrungener gesunder Bursche. Ging zwei Tage die Woche auf Jagd, und seine Predigten bezog er aus der *Cambridge Review.* Diese Geister, ha, die behandelte er mit Geringschätzung. In seiner Gegenwart durfte der Küster nie von ihren Machenschaften erzählen. Ein netter Kerl, in jeder Hinsicht, der einen Freund schon mal mit einem Pferd versorgte, und ich ging mit Grafton dann und wann für einen Tag hin. Einen Januar war ich zu Besuch bei ihm; war ein nasser kalter Monat, mehr Wasser und Morast als die verschneiten Weihnachtskarten, an die wir normalerweise zu denken gewöhnt sind. Sogar die Ouse hatte angefangen, sich ein bißchen zu regen: so voll war sie. Alles nebelfeucht und verhangen – aber in Passenham ist's immer neblig.
Ich erinnere mich noch, daß Reverend Brown (der ›Paschtor‹) ein bißchen überarbeitet aussah, als ich bei ihm anlangte. Aber er redete nicht darüber, und am Samstag hatten wir eine vergnügliche Jagd. Ich hatte es mir zur Pflicht gemacht, stets mit ihm zur Kirche zu gehn: das gebietet schon die Höflichkeit, wenn man bei einem Geistlichen zu Gast ist. Und im Grunde gefiel mir auch der Gottesdienst in Passenham Church. Am Sonntag-Abend brannten die Öl-Lämpchen mit einer Art Heiligenschein, und der nasse Nebel draußen wurde von einem primitiven Heizungs-Apparat ferngehalten, den der alte Fowley bediente. Auch die Glocken von Passenham gefielen mir. Ihr Läuten klang über die Wasserwiesen hin und rief Besucher aus der Nacht herein. Von einer lebendigen Gemeinde konnte kaum die Rede sein, aber einsam war die Kirche nicht. – Es war ein angenehmer und anspruchsloser Gottesdienst, auch wenn Brown recht angegriffen aussah und predigte. Einen

der Texte hab ich selbst gelesen, Stück aus einer Epistel von Paulus, schlecht interpunktiert, wie üblich. Paulus konnt' kein Verb in einen Satz bringen. Aber irgendwie habe ich mich durchgewurschtelt, und die Posthalterin spielte ›Der Herr ist mein Hirte‹ auf dem Harmonium, und wir sangen hinter ihr her, so gut wir's vermochten. Immerhin war's so was wie Musik – wahrscheinlich besser als die Stille des Grabes.«

»Kalt«, sagte die Gräfin.

»Ja, sagte der Professor. »In der Grube muß es schon kalt sein. Man konnte all die nassen Gräber um die Kirche spüren, wie sie zuhörten, lauschten, schutzsuchend versammelt: die Steingräber der Notabeln, die Grabsteine geneigt, um besser hören zu können, und die grasbewachsenen Hügel der vergessenen Dörfler. Der Gottesdienst war gut besucht. –

Als Brown fertig war, kam er in seinen Alltagskleidern aus der Sakristei und sagte, ich solle den alten Fowley ins Pfarrhaus bringen und ihm einen Whisky kredenzen. Es sei eine äußerst unwirtliche Nacht hier heraußen, sagte er und lächelte den Alten müde an: für einen Mann, dem es nie gelingen würde, sein eignes Grab zu schaufeln. Ihm selber sei nach ein wenig Musik zumute; er wolle ein paar Choräle spielen und uns dann hinterherkommen. Er sei müde, meinte er, und brauche ein bißchen Musik zum Entspannen. Während er noch sprach, setzte er sich ans Harmonium, und ich ging mit dem Küster hinaus und freute mich auf den bevorstehenden wärmenden Whisky. –

Fowleys Konversation war stets originell. Der Vicar, so schien es, war mit dem ›Nicht-das-eigene-Grab-Schaufeln‹ völlig fehl gegangen. Der Küster und Totengräber hatte seine Grube schon vor zwanzig Jahren ausgehoben und pflegte sein künftiges Grab seither jeden Samstag. Dies lenkte unsere Unterhaltung zwanglos auf Geister, und der Alte erzählte mir, daß sie eine besondere Vorliebe für Kirchenglocken hätten: während der Nebel-Monate schwärmten sie um die herum wie die Bienen. Glocken und Musik: irgend etwas Harmonisches als Abwechslung von der Stille des Todes, zum Unterschied von der geheimen Tonlosigkeit von Erde und

Sternen. Da hörten wir, wie der Vicar den ›Todesmarsch‹ aus *Saul* intonierte.
›Tollkühne Narretei‹, bemerkte der alte Fowley und schüttelte den Kopf.
Geister, so sagte er mir, seien von Orpheus' Musik verzaubert, der eine der ihren, Dinah mit Namen, aus dem Grabe zurückgeholt habe. König Orphew, fügte er hinzu, den Namen nun anders aussprechend, sei selber ein Gott der Finsternis, wie sein griechischer Name bezeuge. –
Mittlerweile hatte ich das Gefühl, die Unterhaltung habe eine gewisse Grenze überschritten. Ich gab dem Gespräch eine andere Richtung, indem ich einflocht, die Gemeinde sei heute abend recht klein gewesen.
›Sin' die üblichen dagewes'n‹, sagte Old Fowley.
›Kommen zu anderen Gelegenheiten mehr?‹ fragte ich.
›Zum Erntedankfest oder zu Weihnachten?‹
›Erntedankfest is' hier 'ne große Sache‹, sagte Fowley, ›un die meisten komm' an Allerseelen.‹
An dieser Stelle hörten wir, wie der Vicar zu ›Danse Macabre‹ überging. Tam-tam, ta-tam-tam. Was um alles mochte ihn bewogen haben, diese grelle und so ganz und gar nicht kirchliche Weise anzuschlagen? Aufgebracht sagte ich zum Küster, Reverend Brown scheine ja einen ausgefallenen Musik-Geschmack zu haben.
›Bei Schlafliedern penn sie alle ein‹, erwiderte Fowley.
›Ha, aber das da‹, sagte ich, ›dürfte kaum ein Wiegenlied sein.‹
›Vielleicht‹, sagte Fowley, ›soll's sie munter machen.‹
›Aber die Bewohner von Passenham liegen doch wohl jetzt noch nicht im Bett?‹
›Die lüften nun mal ihre Betten gern.‹
›Was mir hier auf dem Land gefällt‹, sagte ich, ›sind die dicken Federbetten.‹
›Die schlafen all gern weich‹, sagte Mr. Fowley.
›Man kommt bloß so schwer wieder heraus.‹
›Schwer rauszukommen – schwer reinzukommen. Die, wo Blu-

men in den gefalteten Händen ha'm, brauchen größere, weil ihre Ellbogen rausstechen.‹
›Paschtor‹ Brown spielte Tennysons Trauermarsch. Die langgezogenen bewegenden Akkorde drangen mit sonderbar zittriger Intonation aus dem kleinen Kirchlein. Ich trank meinen Whisky aus.
›Ist nichts für mich‹, sagte ich, ›das Früh-morgens-Aufstehn.‹
›Musik macht einen am besten munter. Das Abendläuten weckt 'n paar von ihnen auf, wie der Hahnenschrei sie schläfrig macht, un' die Trompeten wer'n sie am letzten Tag allesamt aufwecken.‹ –
›Das‹, fügte Mr. Fowley hinzu, ›is alles, wo ihnen noch bleibt. Das – un die Sphärenmusik.‹
Hier ließ er mich mit der Whiskyflasche allein, und während ich auf den Vicar wartete, schenkte ich mir noch ein gehöriges Glas ein. Ich war allein im Pfarrhaus, da die Zugehfrau ihren freien Abend hatte, und ich wanderte unruhig von einem Zimmer ins andere: von mottenzerfressenen Geweihen in der Diele, wo ein kleines Lichtlein brannte, zu den kalten Platten im Eßzimmer, über denen der Segen gesprochen werden würde. Ich mußte, ob ich wollte oder nicht, an die Musik draußen denken, im Röhricht der Ouse, an das desolate Pans-Flöten, mit dem der Gott der Natur die Vorfahren zu ängstigen pflegte, und an alle andere Geister-Musik der Welt: die Militärkapellen, die aus der Schlacht kamen, umgeben von Geistern, und an die Pfeifen und Flöten, die die Bergschluchten bevölkerten. Und um Mitternacht, wenn die Toten auferstehen, wie es heißt, ha, da spielen die Uhren ihr längstes Geläute. Die ganze Zeit über kam des Vicars Musik in Fetzen von der Kirche herüber, und fürs Abendessen wurde es bei kleinem Licht reichlich spät. –
Eine Stunde vielleicht, dann ging ich zur Kirche, und die Musik spielte immer noch. Ich pfiff vor mich hin, um mir Mut zu machen, als ich über den Friedhof ging, blieb aber mittendrin stecken, denn ich stieß auf den Küster. Er saß auf einem viereckigen Grabstein und blickte zu den Fenstern hoch, die dunkel waren; und als er mich bemerkte, sagte er: ›Der, wo in Passenham pfeifen tut, fängt sie sich.‹ Sofort hörte ich zu pfeifen auf.
›Spielt er im Dunkeln?‹ fragte ich.

Mr. Fowley nickte zu den Fenstern hinüber.
Ich faßte mir ein Herz und machte einen Vorschlag: ›Vielleicht sollten wir reingehn und ihn zum Abendessen holen?‹
›Die Türen da‹, sagte Mr. Fowley, ›die sin abgesperrt.‹
›Spielt der Herr Vicar immer im Dunkeln und schließt sich ein?‹
›Der hat doch keine Schlüssel nich‹, sagte Mr. Fowley, ohne den Kopf zu bewegen. –
Ich möchte Sie nicht mit einer ausführlichen Beschreibung jener langen nervtötenden Winternacht ermüden. Ich konnte ja nichts anderes tun, als draußen vor der Kirche zu warten. Ich saß mit dem alten Fowley auf dem viereckigen Grabstein – die Whiskyflasche zwischen uns – und lauschte dem infernalischen Konzert. Ab und zu gab der Küster im Nebel etwas von sich. König David, erzählte er mir, bezauberte die Geister, die König Saul umflatterten, indem er Harfe spielte; die biblischen Propheten versammelten ihre dienstbaren Geister mit Psalter, Tamburin und Pfeifen um sich; Elisha holte Geister durch ein ›Minstrel-Play‹ herbei und entdeckte dadurch Wasser in der Wüste; der Teufel, der größte aller Geister, spielte auf der Fiedel, zu der er am Hexen-Sabbath tanzte, während das Sanctus-Läuten seinen Engel-Antipoden in die Kirche rief. Die ganze Zeit über konnten wir, als Hintergrund dieser grausigen Konversation, das Harmonium durch seine Choräle wuchten und wimmern hören. Lange vor der Morgendämmerung war das Liederbuch erschöpft, und nun legte das Instrument mit den abscheulichen Klängen aus dem *Students' Song Book* los. ›The Londonderry Air‹ ging in ›Linden Lea‹ über, gefolgt von ›Minstrel Boy‹. Alsbald erklangen ›The Vicar of Bray‹, ›John Peel‹, ›The Bay of Biscay‹, ›Down Among the Dead Men‹ (dies dacapo) und schließlich ›Mademoiselle from Armentières‹. Die ganze Nacht hindurch spielte sich das quälende Keuchen hinter den verschlossenen Türen ab, jammerte jaulend nach ›Loch Lomond‹ und tanzte mit widerwärtiger Bonhomie durch Gilbert und Sullivan. Es war noch dunkel, als der Hahn krähte und als sich zur Begleitung von ›God Save the King‹ die Türen öffneten. –
Wir haben nichts und niemanden rauskommen sehn. Nur nach

einem Weilchen: ha, da war der Vicar in der feuchten Morgendämmerung, da stand ein mitgenommener ausgemergelter Mann sprachlos auf der Veranda und blickte ins Diesige. Der arme Kerl. Hat kein Wort gesagt. Jetzt ist er in Stone, in der Anstalt. Ich denke mir, daß sie bei den ersten Klängen hervorgekommen sein müssen und dann im Dunkeln um ihn herumlungerten und ihn immer weiter antrieben. Ich möcht annehmen, daß er sich nicht ein einziges Mal getraut hat, sich umzusehn – er hat bloß wie ein Verrückter sein Harmonium bearbeitet. Daß einem die Haare zu Berge stehen, das gibt's tatsächlich, wissen Sie: man kann's selber feststellen, wenn man sich nur gehörig unter Strom setzt. Als er zu spielen aufhörte, machten die Pedale von sich aus weiter, und die Seiten wurden für ihn umgeblättert. In der Anstalt spielt er jetzt pausenlos. ›Wenn das sanfte Säuseln stirbt‹, zitierte Mr. Fowley, als sie ihn fortschafften, ›lebt die Musik in der Erinn'rung weiter‹.«

Der Troll

»Mein Vater«, sagte Mr. Marx, »pflegte zu sagen, daß eine Erfahrung wie jene, von der ich berichten will, geeignet sei, einem jegliches Interesse an weltlichen Dingen zu verleiden. Sicher: er erwartete nicht, daß man ihm glaube, und es war ihm auch einerlei. Er selber glaubte nicht ans Übersinnliche – aber die Geschichte geschah tatsächlich, und er versprach, sie so schlicht wie möglich zu erzählen. Es war töricht von ihm zu behaupten, sie habe seinen Glauben an weltliche Dinge erschüttert – denn sie war genau so weltlich wie alles andere auch. Ja, das eigentlich Entsetzende daran war gerade die schrecklich greifbare Atmosphäre, in der sie sich abspielte. Die Umstände hatten nichts Undeutlich-Unbestimmbares an sich. Das Geschöpf wäre weit weniger bemerkenswert gewesen, wenn's weniger natürlich gewesen wäre. Es schien die üblichen Naturgesetze mißachten zu können, ohne freilich gegen sie ›immun‹ zu sein.
Mein Vater war ein leidenschaftlicher Angler und scheute keine Entfernung für seine Fische. Bei einer Gelegenheit machte er Abisko zu seiner Ausgangs-Basis in Lappland: ein komfortables Eisenbahn-Hotel, einhundertfünfzig Meilen innerhalb des Polarkreises. Er durchreiste die gesamte Länge Schwedens (ich glaube, von Südschweden zum Norden ist's ebenso weit wie von Südschweden nach Süd-Italien) in der elektrifizierten Bahn und kam völlig erschöpft dort an. Er ging früh zu Bett, schlief fast auf der Stelle ein – obwohl es draußen heller Tag war: wie in jener Jahreszeit nächtens dort üblich. Gerade das machte das Umwerfende seines Erlebnisses aus: daß sich alles bei vollem Sonnenlicht abspielte. – Er ging früh zu Bett und schlief und träumte. Ich möchte schon jetzt klarstellen – so klar wie die Umrisse des Geschöpfs in der nördlichen Sonne –, daß seine Geschichte sich nicht etwa als ein Traum oder dergleichen herausstellte. Der Übergang von Schlafen zu Wachen war abrupt, obwohl beiden das gleiche *feeling* eignete. Beides befand sich in derselben Sphäre entsetzlicher Ab-

surdität – obzwar er in ersterer schlief und in letzterer geradezu furchterregend wach war. Hat etliche Male versucht, in Schlaf zu versinken.
Mein Vater hat stets einen seiner Träume erzählt, weil er irgendwie ein Teilstück des Darauffolgenden zu sein schien. Er war der Ansicht, daß er eine Konsequenz der Gegenwart des Geschöpfes im Nebenzimmer war. Mein Vater träumte von Blut.
Am eindrucksvollsten war die Lebendigkeit der Träume, ihre detaillierte Genauigkeit und schreckliche Realität. Das Blut drang durchs Schlüsselloch einer verschlossenen Tür, die zum Nebenzimmer führte. Vermutlich waren die beiden Räume einst eine Suite gewesen. Es rann in Rinnsalen an der Türfüllung herab – wie im künstlichen Conduit von Trumpington Street. Aber es war schwerflüssig und roch. Das langsame Herabrinnen tränkte den Teppich und erreichte das Bett. Es war klebrig und warm. Mein Vater wachte mit dem Eindruck auf, daß es ihm über die Hände laufe. Er rieb die Zeigefinger zusammen, versuchte, die schmierige Masse zwischen den Fingern loszuwerden.
Mein Vater wußte, was er zu tun hatte. Lassen Sie mich noch einmal betonen, daß er mittlerweile hellwach war; aber er wußte sofort, was er zu tun hatte. Sein Wissen zwang ihn zum Aufstehn; er spähte durchs Schlüsselloch ins angrenzende Zimmer.
Am einfachsten ist's wohl, die Geschichte so zu erzählen, wie sie sich zugetragen hat, ohne auf Glaubwürdigkeit zu pochen. Hier ging's nicht um Glauben oder Nicht-Glauben. Es war kein Schaudern, kein Frösteln bis ins Mark; auch keine nebulöse Erscheinung oder etwas, das der Aktualisierung durch einen Akt des Glaubens bedurft hätte. Es war massiv wie ein Kleiderschrank. An Kleiderschränke braucht man nicht zu glauben: die sind einfach da, mitsamt Ecken und Kanten.
Was mein Vater durchs Schlüsselloch im Nebenzimmer sah?
Einen Troll. Er war ganz und gar massiv, gegen acht Fuß groß, in hellfarbene Felle gewandet. Er hatte ein blaues Gesicht mit gelben Augen, und auf dem Kopf trug er eine Art wollener Nachtmütze mit einer roten Bommel obendrauf. Die Gesichtszüge waren mon-

golisch. Von Gestalt war er stämmig – wie ein Baumstamm. Seine Beine waren kurz und dick, wie Elefantenfüße, aus denen man Schirmständer fertigt, und seine Arme waren unbrauchbar: kleine verkümmerte Gliedmaßen wie die Vorderläufe eines Känguruhs. Kopf und Hals waren dick und gedrungen. Insgesamt sah er aus wie eine groteske Puppe.

Das war das Furcht-Erregende daran. Stellen Sie sich einen völlig normalen Popanz vor (doch ohne dabei an Karneval zu denken), der, acht Fuß groß, in seiner Zimmer-Ecke steht. Genauso gewöhnlich war das Geschöpf, so greifbar, so ausgestopft und so grob ungelenkig; immerhin konnte er sich aus Eigenem bewegen.

Der Troll fraß grad eine Frau. Mit seinen Armstümpfen hielt er die Ärmste an die Brust gepreßt, so daß ihr Kopf sich in Höhe seines Mundes befand. Sie trug ein Nachthemd, das sich bis unter die Achselhöhlen hochgekrempelt hatte, so daß sie wie ein erbarmungswürdig nacktes Opfer wirkte, ähnlich einem klassischen Bilde der Andromeda. Zum Glück schien sie ohnmächtig geworden zu sein.

Grad wie mein Vater sein Auge ans Schlüsselloch legte, öffnete der Troll seinen Mund und biß ihr den Kopf ab. Dann saugte er, ihren Hals zwischen den Lippen haltend, die Dame aus. Sie schrumpelte ein, wie eine leergepreßte Orange, und ihre Fersen schlugen aneinander. Das Geschöpf hatte einen Gesichtsausdruck gedankenvoller Ekstase. Als das Mädchen, wie eine Orange, keinen Saft mehr herzugeben schien, wurde sie hochgehoben. Sie verschwand in zwei Bissen. Der Troll blieb an die Wand gelehnt stehn, mampfte geduldig und ließ mit einem gewissen Wohlwollen seine Blicke in die Runde schweifen. Dann beugte er sich aus der tief angesetzten Hüfte vor, wie ein zusammenklappendes Schnappmesser, um das Blut vom Teppich zu schlecken. Das Innere des Mundes war weißglühend, wie ein Herd, und das Blut verdunstete vor seiner Zunge, so, wie Staub in einem Sauger verschwindet. Er richtete sich auf (die Arme baumelten in geduldiger Nutzlosigkeit herab) und fixierte mit seinen Augen das Schlüsselloch.

Mein Vater kroch ins Bett zurück: erschöpft wie ein Fuchs nach fünfzehn Meilen. Zuerst aus Angst, das Geschöpf könnte ihn durchs Schlüsselloch gesehen haben; hernach, weil er seinen Verstand gebrauchte. Man kann ja eine Menge Nacht-Spuk-Erscheinungen der Einbildung zuschreiben und folglich sich selber einreden (und davon überzeugen), daß es keine Dunkel-Männer gibt. Aber dies war eine Erscheinung in einem sonnenhellen Zimmer, mit der Solidität eines Kleiderschranks und leider kaum seiner Wahrscheinlichkeit. Die ersten zehn Minuten verbrachte er damit, sich zu vergewissern, daß er wach war; und für den Rest der Nacht versuchte er zu hoffen, daß er schliefe. Wenn nicht das – dann war er verrückt.

Ist nicht angenehm, seine eigene geistige Gesundheit in Frage stellen zu müssen. Zufriedenstellende Tests gibt's keine. Man kann sich zwar zwicken, um festzustellen, ob man wach ist; aber es gibt keine Mittel und Wege, das andere Problem zu lösen. Er verbrachte einige Zeit damit, die Augen zu öffnen und zu schließen und wieder zu öffnen, doch das Zimmer schien normal und blieb unverändert. Auch tauchte er seinen Kopf in eine Schüssel mit kaltem Wasser: ohne Ergebnis. Dann legte er sich auf den Rücken, lag stundenlang so und beobachtete die Moskitos an der Decke.

Er war müde, als man ihn rief. Ein hellhäutiges hellhaariges skandinavisches Zimmermädchen ließ die volle Sonne herein und verkündete, es sei ein schöner Tag. Er sprach sie mehrere Male an und beobachtete sie sorgsam-angespannt, doch sie schien nichts Ungewöhnliches an ihm zu bemerken. Augenscheinlich war er also nicht allzu verrückt – und unterdes hatte er so viele Stunden lang über die Angelegenheit nachgegrübelt, daß sie anfing, obskur zu werden. Die Umrisse verschwommen wieder, und er entschied, daß die ganze Geschichte ein Traum gewesen sein müsse, oder eine vorübergehende Bewußtseins-Trübung, jedenfalls etwas Vorbeigehendes und somit erledigt. Er stand auf, kleidete sich einigermaßen fröhlich an und ging zum Frühstück hinunter.

Diese Hotels waren dazumal außergewöhnlich gut geführt. In einem kleinen Büro neben der Halle saß stets eine Empfangsdame, die entzückt über jede Frage war, die an sie gerichtet wurde, alle

erdenklichen Sprachen sprach und es sich insgesamt angelegen sein ließ, den Gast nach bestem Vermögen zu umsorgen. Zu der Zeit war die Empfangsdame (oder Hostess) in Abisko ein ausnehmend hübsches Mädchen. Mein Vater redete eine ganze Menge mit ihr. Er war der Ansicht, daß man, wenn man in Schweden ein Bad nahm, von einem der Mädchen gewaschen würde. Mitunter geschah dies auch tatsächlich, doch dann war's eine alte Magd, jenseits von Gut und Böse. Man mußte ganz ins Wasser tauchen und unten bleiben: dadurch sollte man so was wie unsichtbar werden. Wenn ein Knie auftauchte, kriegte sie einen Schreck. Mein Vater hegte die schwache Hoffnung, daß man ihm eines Tages mal die hübsche Hostess zum Baden bringen werde, und ich möchte behaupten, daß er der einen ganz gehörigen Schreck verpaßt hätte! Aber darum geht's jetzt nicht. Als er durch die Halle ging, kam er auf die Idee, sich nach dem Nebenzimmer zu erkundigen. Ob jemand auf Nummer 23 wohne, fragte er.
›Aber ja‹, sagte die junge Dame mit strahlendem Lächeln, ›in dreiundzwanzig wohnen ein Doktor Professor aus Uppsala mit seine Frau. Ein reizender Paar.‹
Mein Vater hat sich natürlich gefragt, was dieses reizende Paar wohl gemacht haben mochte, während der Troll die Dame im Nachthemd verspeiste. Aber er beschloß, nicht mehr daran zu denken. Er nahm sich zusammen und ging zum Frühstück. Der Professor saß in der entgegengesetzten Ecke (die Dame beim Empfang hatte ihn freundlicherweise darauf hingewiesen), und zwar allein und friedlich und kurzsichtig. Mein Vater dachte, es sei wohl das beste, er würde mal eine Weile in den Bergen herumkraxeln, denn ein bißchen körperliche Bewegung konnte er jetzt ganz gut gebrauchen.
Er hatte einen herrlichen Tag. Der Torneträsk unter ihm erstreckte sich dreißig Meilen lang im tiefsten Blau, und der schmelzende Schnee bildete auf den Bergspitzen um den See herum ein weißes Filigran. Er verließ die verkümmerten Birken und die Moore mit den Rentieren drin und den Moskitos. Er durchwatete etwas, das ein ehemaliger Zufluß der Abiskojokk gewesen sein mochte; zu

diesem Behufe mußte er sich der Hose entledigen und sich das Hemd um den Hals wickeln. Fast hätte er aufgeschrien, als er vom Schmelzwasser gewaltsam gepackt wurde; seine Beine gerieten ein wenig durcheinander, und die Steine rutschten ihm unter den Füßen weg. Gegen den Strom machte sein Körper eine Bugwelle im Wasser, das ihm bis zum Bauch brandete. Am gegenüberliegenden Ufer glitt er auf einem großen Stein aus und fiel in den Bach. Er tauchte wieder auf, brüllend vor Lachen, und tat einen Ausspruch, der in meiner Familie zum geflügelten Wort wurde: ›Gott sei Dank hatt' ich mir die Ärmel aufgekrempelt‹. Er wrang alles so gut wie möglich aus, zog die nassen Sachen wieder an und setzte sich auf dem Niakatjavelk in Marsch. Nach einer halben Stunde war er wieder trocken und warm. Nach weniger als tausend Fuß überschritt er die Schneegrenze, und dort wurde ihm, auf Händen und Knien kriechend, das allerschönste Erlebnis zuteil. Er sah sich, von Angesicht zu Angesicht, einem Hermelin gegenüber. Beide waren auf allen Vieren, so daß die Begegnung sozusagen ›ausgewogen‹ war, zumal das Hermelin ein wenig höher hockte als er. Für den fünften Teil einer Sekunde sahen sie einander an, ohne was zu sagen, und dann verschwand das Hermelin. Er suchte überall – vergebens: der Schnee war nur wie ein schwarzweißer Flikkenteppich. Mein Vater setzte sich auf einen trockenen Felsblock, um sein durchfeuchtetes Mahl aus Schokolade und Roggenbrot zu verzehren.

Das Leben ist eine solch unaussprechliche Hölle, weil's eben manchmal schön ist. Wenn's einem bloß die ganze Zeit über elend wäre, wenn's nicht so was wie Liebe oder Schönheit oder Glaube oder Hoffnung gäbe, wenn ich absolut sicher sein könnte, daß meine Liebe nicht erwidert würde – wieviel leichter wäre dann das Leben! Man könnte durch die sibirischen Salzstollen der Existenz stolpern, ohne sich um etwas derartiges wie Glücklichsein kümmern zu brauchen. Leider gibt's das: – Glück. Immerzu besteht die Chance (ungefähr achthundertfünfzig zu eins), daß ein anderes Herz zu meinem findet. Ich kann nicht anders: ich muß hoffen und Treue bewahren und Schönheit lieben. Ziemlich häufig ist mir

gar nicht so elend zumute, wie's wohl weiser wäre. Und für meinen armen Vater, wie der da auf seinem Felsen überm Schnee saß, klopfte das Glück vehement an die Tür.
Auf dem Felsbrocken, auf dem er saß, hatte vermutlich noch nie jemand zuvor gesessen. Er saß hundertfünfzig Meilen innerhalb des Polarkreises, auf einem fünftausend Fuß hohen Berg, und blickte auf einen blauen See hinab. Der See war so lang, daß er hätte wetten mögen, er würde sich am Ende krümmen, was dem bloßen Auge bewiese, daß die geliebte Erde rund ist. Die Bahngeleise und das halbe Dutzend Häuser von Abisko lagen hinter Bäumen versteckt. Die Sonne schien warm auf den Fels, blau im Schnee, der glattgeschliffen aus den Fluten stieg. Die Schokolade machte ihm den Mund wässrig, just hinter der Zungenspitze.
Als er aber dann seine Schokolade gegessen hatte – vielleicht lag sie ihm schwer im Magen –, kehrte die Erinnerung an den Troll zurück. Plötzlich verfiel mein Vater in die finsterste Laune und fing an, übers Übernatürliche nachzugrübeln. Im Sommer war Lappland schön; Tag und Nacht wanderte die Sonne um den Horizont; die kleinen Baum-Blättchen funkelten. Dies war kein Ort für üble Bösigkeiten. Doch im Winter? Das Bild der arktischen Nacht drängte sich ihm auf: mit der Stille und dem Schnee. Dann schnüffelten und schnupperten die legendären Wölfe und Bären an den Einfriedungen der Lager, und die namenlosen Winter-Geister gingen ihrer finstern Wege. Lappland wurde schon seit je mit Hexerei verbunden, auch von Shakespeare. An den Randgebieten der Welt akkumulierten die Alten Dinge, sammelten sich wie Treibholz am Saum der See. Suchte man eine weise Frau, ging man an die Ränder der Hebriden; an der Küste der Bretagne besuchte man die Messe in St. Secaire. Und Lappland erst! Was für ein fern-abgelegenes Land! Es war nicht nur der Rand Europas, sondern auch die End-Zone der Zivilisation. Es hatte keine Grenzen. Die Lappen zogen mit den Rentieren, und wo die Rentiere waren, da war Lappland. Ein sonderbar unbestimmbares Gebiet – so recht geschaffen für unbestimmbare Dinge. Die Lappen waren keine Christen. Was für einen Fundus an Kraft mußten sie hinter

sich gehabt haben, um dem ›*march of mind*‹ zu widerstehen. Durch die ganzen Jahrhunderte der Missionierung hatten sie an etwas festgehalten: an etwas, das hinter ihnen stand, einer Kraft gegen Christus. Mit einem regelrechten Schock machte mein Vater sich klar, daß er im Zeitalter des Rentiers lebte, in einer Periode, die der des Mammuts und der Fossilien glich.
Je nun: deswegen war er ja nicht hier heraus gekommen. Mit Mühe verscheuchte er die *nightmares*, das Alpdrücken der Bedrohung, erhob sich von seinem Felsblock und machte sich auf den beschwerlichen Rückweg zum Hotel. Es war doch nicht gut möglich, daß ein Professor in Abisko zum Troll werden konnte.
Als mein Vater an dem Abend zum Essen ging, hielt ihn die Empfangsdame in der Halle an.
›Wir haben einen Tag so traurig gehabt‹, sagte sie. ›Der arme Dr. Professor hat seine Frau verschwunden. Sie ist seit gestern abend gemißt. Der Dr. Professor ist untröstbar.‹
Da wußte mein Vater mit Sicherheit, daß er seinen Verstand verloren hatte.
Blinden Auges ging er zum Essen, gab keine Antworten und machte sich an die dicke Sauer-Rahm-Suppe, die kalt mit Pfeffer und Zukker serviert wurde. Der Professor saß in seiner Ecke: ein Mann mit sandfarbenem Haar und dicken Brillengläsern und verzweifeltem Gesichtsausdruck. Er sah meinen Vater an, und mein Vater – den Suppenlöffel halben Wegs zum Mund – sah ihn an. Kennen Sie doch: dieses Von-Auge-zu-Auge-Erkennen, wenn zwei Menschen sich tief in die Pupillen gucken und ihre Seele erforschen? Für gewöhnlich kommt's vor der Liebe. Ich meine dieses klare, tiefe, milch-äugige Erkennen, wie's der Dichter Donne ausdrückt. Ihre Blicke kreuzten sich und verbanden ihre Augen mit einem doppelten Band. Mein Vater erkannte, daß der Professor ein Troll war, und der Professor erkannte, daß mein Vater es erkannt hatte. Beide wußten sie, daß der Professor seine Frau gefressen hatte.
Mein Vater legte den Löffel nieder, und der Professor begann zu wachsen. Seine Schädeldecke hob sich und ging auseinander wie ein Brotlaib im Ofen; sein Gesicht wurde rot und purpurn und schließ-

lich blau; das ganze unappetitliche Oberstübchen kam ins Wanken und wölbte sich zur Decke. Mein Vater schaute sich um. Die anderen Gäste aßen unbekümmert weiter. Niemand sonst nahm Notiz: nun war er endlich doch verrückt. Als er wieder zum Troll hinsah, machte das Geschöpf eine Verbeugung. Der gewaltige Oberbau beugte sich von der Hüfte aus zu ihm her und grinste verführerisch.

Mein Vater erhob sich versuchsweise von seinem Tisch und bewegte sich auf den Troll zu, wobei er mit größter Vorsicht seine Füße über den Teppich schob. Er konstatierte, daß es nicht leicht war, zu gehen oder sich dem Monster zu nähern – aber es ging um seinen Verstand. Wenn er verrückt war, war er verrückt; und es war wichtig, daß er die Sache in den Griff bekam, daß er klarsah, um sich Gewißheit zu verschaffen.

Er stand vor ihm wie ein kleiner Junge und streckte die Hand aus und sagte: ›Guten Abend.‹

›Ho! Ho!‹ sagte der Troll, ›kleines Männlein. Und was eß' ich wohl heute zur Nacht?‹

Dann streckte er seine verschrumpelte bepelzte Pfote aus und drückte meinem Vater die Hand.

Mein Vater ging gleich aus dem Speiseraum, so, als gehe er auf Luft. Er fand die Hostess-Empfangsdame und hielt ihr die Hand hin.

›Ich fürchte, ich habe mir die Hand verbrannt‹, sagte er. ›Ob Sie sie wohl verbinden könnten?‹

Die Empfangsdame sagte: ›Das ist aber ein böser Verbrennung. Sie haben überall Brandblasen auf dem Rücken. Selbstverständlich ich werden Sie gleich verbinden.‹

Er erklärte, er habe sie sich an einer der Spiritus-Lampen auf dem Sideboard verbrannt. Er konnte kaum sein Entzücken verhehlen. Denn durch einfaches Verrücktsein durfte man sich doch kaum verbrennen können.

›Ich sah Sie mit dem Dr. Professor sprechen‹, sagte die Empfangsdame, während sie den Verband anlegte. ›Er ist ein sehr sympathischer Herr, ist er nicht?‹

Die Erleichterung darüber, daß er geistig gesund war, wich anderen Sorgen. Der Troll hatte seine Frau gefressen und ihm die Hand verbrannt; aber er hatte auch eine geheimnisvolle Andeutung über sein Nachtmahl gemacht. Er wollte meinen Vater fressen. Nun kommen nur wenige jemals in die Lage, eine Entscheidung fällen zu müssen, weil ein Troll sie für seine nächste Mahlzeit ausersehen hat. Zuerst einmal: Obwohl er (auf doppelte Weise) ein greifbarer Troll war, hatten ihn die anderen Gäste nicht gesehn. Das versetzte meinen Vater in eine schwierige Situation. Zum Beispiel konnte er nicht um Schutz nachsuchen. Er konnte doch kaum zur Empfangsdame gehen und sagen: ›Professor Skal ist so was ähnliches wie ein Werwolf; hat gestern abend seine Frau gefressen; heute abend will er mich fressen.‹ Da hätte man ihn gleich in eine Klappsmühle gesteckt. Außerdem war er zu stolz, um so etwas zu tun, und noch viel zu sehr durcheinander. Beweise und Brandblasen – gut und schön. Aber so ganz leicht fiel's ihm nicht, an Professoren zu glauben, die zu Trollen wurden. Er hatte sein ganzes Leben im Normalen zugebracht, und in seinem Alter lernte man nicht mehr so leicht um. Für ein Baby, das noch dabei war, die Welt zu koordinieren, wär's ziemlich einfach gewesen, mit der Troll-Situation fertigzuwerden – für meinen Vater war's das nicht. Er versuchte, das Phänomen irgendwie/irgendwo einzuordnen, ohne das Universum in Unordnung zu bringen. Er sagte sich immer wieder, daß alles Unsinn sei: man werde nicht von Professoren gefressen. Es war, wie wenn man Fieber hat und sich sagt, ist schon recht, ist bloß ein Delirium, bloß etwas, das vorübergeht.
Da war einerseits dieses Gefühl, das verzweifelte Geltendmachen all der Wahrheiten, die er bislang gelernt hatte, die Bemühung, die Welt im Griff zu behalten, die tapfere – wenn auch verschüchterte – Weigerung, aufzugeben oder sich zum Narren zu machen.
Andererseits das schiere, blanke Entsetzen. So sehr man sich auch mühen wollte, bloß getäuscht worden zu sein oder sich vorübergehend in einer merkwürdigen Tasche der Raum-Zeit befunden zu haben –: Panik blieb. Er hatte den Drang, sich so schnell wie möglich aus dem Staube zu machen, vor dem teuflischen Troll zu

fliehn. Unglücklicherweise war der letzte Zug von Abisko abgefahren, und sonst konnte er nirgends hin.
Mein Vater war nicht fähig, diese Gedankenstränge auseinander zu trennen. Für ihn waren sie derzeit ineinander verworren. Er befand sich in einem Wirbel, einem Strudel. Er war ein stolzer Mann, und ein Agnostiker, also blieb er bei der Stange. Er hatte entsetzliche Angst vor dem Troll, aber er konnte es sich nicht leisten, seine Existenz anzuerkennen. Alle seine Gedankengänge blieben in der Schwebe, während er sich auf der Terrasse (in einem Zustand des Scheintods, sozusagen) mit einem amerikanischen Touristen unterhielt, der nach Abisko gekommen war, um die Mitternachtssonne zu photographieren.
Der Amerikaner erzählte meinem Vater, daß die Abisko-Bahn die nördlichste elektrifizierte Eisenbahn der Welt sei, daß jeden Tag zwölf Züge auf dem Weg zwischen Uppsala und Narvik durchführen, daß Abo im Jahre 1862 an die 12000 Einwohner zählte, und daß Gustavus Adolphus 1611 den schwedischen Thron bestiegen habe. Auch berichtete er einiges über Greta Garbo.
Mein Vater erzählte dem Amerikaner, daß für die Messe in St. Secaire ein totes Baby gebraucht werde, daß ein Elemental eine Art von Mund im Weltraum sei, der einen aufsauge und zu verschlingen suche, daß homöopathische Magie von den Aborigines in Australien praktiziert werde, und daß eine Lappin streng darauf achte, während der Schwangerschaft keine Knoten oder Schlingen an sich zu tragen, weil das die Entbindung komplizieren würde.
Der Amerikaner, der meinen Vater eine ganze Weile seltsam angekuckt hatte, fühlte sich hierdurch verärgert und verließ ihn. So blieb ihm nichts andres übrig, als schlafen zu gehn.
Mein Vater schaffte die Treppe mittels purer Willens-Stärke. Seine Fähigkeiten schienen verkümmert, sein Bewegungs-Apparat schien in Unordnung geraten zu sein. Er mußte sich des Geländers bedienen. Es war, als navigiere er mittels drahtloser Telegraphie: von einem Punkt aus etwa einen Fuß vor seiner Stirne. Die Dinge, um die es ging, hatten jegliche Bedeutung eingebüßt,

aber er stieg verbissen die Stufen hinauf, vorangetrieben von Stolz und Widerspruchsgeist. Angst hatte ihn seinem Körper entfremdet, die gleiche Angst, die er als Junge verspürt hatte, wenn er lange Flure hinabgegangen war, um geschlagen und gezüchtigt zu werden. Standhaft stieg er die Stufen hinan.
Sonderbarerweise fiel er sogleich in Schlaf. Er war den ganzen Tag geklettert und die ganze Nacht aufgewesen und hatte emotionale Extreme durchlebt. Wie ein Verurteilter, der am nächsten Morgen gehenkt werden soll, ließ mein Vater die ganze Sache sausen und ging schlafen.
Punkt Mitternacht wurde er geweckt. Er hörte, wie der Amerikaner auf der Terrasse unter seinem Fenster aufgeregt erklärte, daß die beiden letzten Nächte um 23.58 Uhr eine Wolke aufgezogen sei, so daß er die Mitternachtssonne nicht habe photographieren können. Er hörte die Kamera klicken.
Plötzlich schien ein Hagelschauer aufzukommen. Er rüttelte an der Fensterbank, und die Vorhänge hoben sich bauschig und wehten horizontal ins Zimmer. Das Rütteln und Rumoren des Sturms rahmte das Fenster mit einem Crescendo aus zunehmendem Lärm; ein Luftzug strömte direkt auf ihn zu. Eine blaue Pfote kam über den Fensterrahmen.
Mein Vater drehte sich um und vergrub den Kopf im Kissen. Er spürte, wie der aufgeplusterte Kopf am Fenster auftauchte und die Augen ihm in den Nacken stachen. Deutlich spürte er die beiden Stellen am Körper, etwa vier Zoll auseinander. Dort juckte es. Oder, andersrum: es juckte ihn am ganzen Körper – ausgenommen an den beiden Stellen. Er spürte, wie das Geschöpf in den Raum hereingewachsen kam; es glühte wie Eis und verströmte stürmische Winde. Sein Moskito-Netz blähte und bauschte sich im Luftzug, legte ihn bloß, beraubte ihn seines Schutzes. Er befand sich in einer solchen Ekstase des Entsetzens, daß er's fast genoß. Er war wie ein Schwimmer, der sich zum erstenmal ins eisige Wasser stürzt und dem's die Sprache verschlägt. Er versuchte zu schreien, doch alles, was aus seinen paralysierten Lungen kam, waren johlende jodelnde Geräusche. Er wurde Teil des Sturms.

Sein Bettzeug war weg. Er spürte, wie der Troll seine Hände ausstreckte.

Mein Vater war ein Agnostiker, doch wie die meisten Müßiggänger war er sich nicht zu gut dafür, einen Vogel zu haben. Sein Lieblingsvogel war die Psychologie der katholischen Kirche. Er war jederzeit bereit, stundenlang über Psychoanalyse und Beichte zu reden. Seine größte Entdeckung war der Rosenkranz gewesen.

Der Rosenkranz, pflegte mein Vater zu sagen, sei einzig und allein als Beschäftigungs-Therapie gedacht, um die unteren geistigen Hirn-Regionen zu beruhigen. Das automatische Durch-die-Finger-gleiten-lassen der Perlen befreie die höheren Regionen zur Meditation über die Mysterien. Sie waren ein Sedativum: wie Stricken oder Schafezählen. Gegen Schlaflosigkeit gebe es kein besseres Heilmittel als den Rosenkranz. Sei mehreren Jahren hatte er tiefes Atmen oder normales Zählen aufgegeben. Wenn er nicht einschlafen konnte, lag er auf dem Bett und ließ die Perlen durch seine Finger gleiten; in der Tasche seiner Pyjama-Jacke war ein kleiner Rosenkranz.

Der Troll streckte die Hände aus, um ihn um die Taille zu packen. Er war vollständig gelähmt, so, als habe man ihm die Luft abgeschnürt. Der Troll legte seine Hände auf die Perlen.

Die okkulten Kräfte krachten über meines Vaters Kopf zusammen. Es gab eine Explosion, sagte er, eine schnelle Entladung. Positiv und negativ. Plus und Minus. Ein Blitz, ein Strahl. Etwas wie das Prasseln, wenn der Stromabnehmer beim Rangieren der Bahn wieder die Oberleitung berührt.

Der Troll stieß einen schrillen Schrei aus, wie ein Krebs, der in kochendes Wasser geworfen wird, und schrumpfte allsogleich zusammen. Er ließ meinen Vater fahren und machte kehrt und rannte heulend zum Fenster, als hätte er sich furchtbar verbrannt. Mit abnehmender Größe verblaßte auch seine Farbe. Jetzt war er wie ein Gummi-Tier, das mit zischendem Geräusch in sich zusammenfällt. Er krabbelte übers Fensterbrett: jetzt kaum größer als ein kleines Kind, und schrumpfte zusehends.

Mein Vater sprang aus dem Bett und folgte ihm zum Fenster. Er sah, wie er, einer Kröte gleich, auf die Terrasse fiel, sich aufraffte, und schwankend und taumelnd und – wie eine Fledermaus pfeifend – ins Tal des Abiskojokk entschwand.
Mein Vater wurde ohnmächtig.
Am Morgen sagte die Empfangsdame: ›Es hat sich eine entsetzbare Tragödie zugetragen. Der arme Dr. Professor hat man heute früh gefunden im See. Bestimmt hat ihn die Kummer um seine Frau außer Sinnen gebracht.‹
Der Amerikaner initiierte eine Sammlung für einen Kranz, der mein Vater fünf Shillings beisteuerte. Am darauffolgenden Morgen wurde die Leiche abtransportiert – mit einem der zwölf Züge, die täglich zwischen Uppsala und Narvik verkehren.

Graf Spaniel

»Es ist ein Stück Familiengeschichte«, berichtete sie, »das bislang stets geheimgehalten worden ist. Aber jetzt, wo's mit der Familie vorbei ist, sehe ich nicht ein, weshalb man's nicht erzählen sollte. Es handelt sich um den Zweiten Grafen: den auf dem Gemälde von Lely, das im Treppenhaus hängt – wenn's noch da ist. In der Bibliothek befand sich ein seltenes Buch über ihn, ein Privat-Druck; mein Mann war der Meinung, es hinter Schloß und Riegel halten zu müssen; mich ließ er's lesen, als wir verheiratet waren. – Ich bin keine große Leseratte«, fuhr die Gräfin bescheiden fort, »und aus Romanen mache ich mir eigentlich nicht allzu viel. Aber aus irgendeinem Grund bin ich neugierig geworden. Es war ein kleiner brauner Band – ›Quarto‹, sagt man wohl dazu – und enthielt mehrere Bücher. Die erste Geschichte stammte von jemandem namens Nashe, und die zweite handelte von der ›Belagerung von Breda‹. Ich muß das Ding fünf- oder sechsmal gelesen haben. Ich weiß nicht mehr, wie sie ging. Die einzige andere Geschichte, an die ich mich noch erinnere, hieß ›Ulysses‹: die hat mir mal mein Sohn geliehen. Das ist ein dickes Buch, wissen Sie, aber ein paar Stellen haben mir unheimlich gut gefallen. Ich glaube, es ging um eine Zauberposse. Aber ›Die Belagerung von Breda‹ war besser, möcht ich meinen. Davon kann ich noch ganze Passagen, als hätt ich sie auswendig gelernt. –

›Mannhaft‹«, deklamierte die Gräfin plötzlich, »‹stunden sie dorten, gewappnet mit Muskete, Pike und Handegranade, indessen der Kanonen Feuer die Reihen derer von Burgundien niedermähete, daß sie gleich phrygischen Adlern auseinander stoben. Durch den Pest-Hauch ihrer Schmerzens-Schreie fiel der Feind über sie, gropp wurden sie auf ihre eignen widerstrebenden Linien zurückgeworfen mit allgewaltger Macht und großer Leichenzahl. Und die Geschütze bellten ihre Kriegs-Musike bei Tag und bei Nacht gen das aufgetürmte irden Bollwerk von Ginnekin Port, währenddes ihnen fortwährend Musketen-Kugeln ins Gesichte kardätschten, dicht wie winterlicher Hagelschauer, welcher den Boden weißt. Da gingen des Colonel Balfoure's viere Halb-Kanonen gegen die Windmühle; da fuhr sie krachend nieder, die Knochen ein paar derer von Burgundien streifend, bis daß neuerlich Getose anhub...‹ Solch Zeug war das«, sagte die Gräfin. »Richtig aufregend, wissen Sie. Natürlich war's ein bißchen schwer verständlich; aber das war ›Ulysses‹ schließlich auch. Wie gesagt: ich hab' die Geschichte an die fünf- oder sechsmal gelesen. Am besten war die Sache mit dem Zweiten Grafen. Erinnern Sie sich daran, wie er auf dem Lely-Gemälde aussieht, mit seiner verschmierten runden Stupps-Nase und den feuchten Augen? Er war irre, wirklich. Er hielt sich für einen Spaniel. –

Er lebte zur Zeit der Stuarts, als die Leute noch ganz schön ungesittet waren; und leben tat er in Woodmansterne, draußen auf dem Land. Das war natürlich lange, bevor's der Sechste Graf wieder aufbaute, der dem Staat zwei Millionen Pfund gestohlen hat. Es war halt so ein Tudor-Haus, mit ein paar zusätzlichen Verzierungen an der Veranda und so. Die Scamperdales haben sich für gewöhnlich auf dem Land wohler gefühlt als in der Stadt, und der Zweite Graf bildete keine Ausnahme. Er war ein hübscher strammer Bursch, von der Natur bestens ausstaffiert, und ein gutes Herz hat er auch gehabt. Im Dorf haben sie ihn regelrecht vergöttert, und ausgeritten ist er wie ein Gentleman in Klein-Ausgabe: mit Federbusch am Hut und in spanischen Lederstiefeln. Immer auf Jagd, wissen Sie. Ich weiß nicht mehr, was sie damals gejagt haben, aber Füchse bestimmt nicht. Hunde hat er geliebt, fast von der Wiege an. –

Aber wenn die Leute auf dem Land auch zehnmal besser sind als die Städter, und zwar in jeder Hinsicht, so sind sie innerlich doch noch entsetzlich grausam, besonders zu Tieren. Zu Dachsen, beispielsweise, und Fröschen; und manchmal auch zu Katzen. Wenn man früher unbrauchbare Hunde loswerden wollte, hat man sie einfach aufgehängt – so wie die Christen.

Dabei ist der Zweite Graf übergeschnappt. Mit sechs war er weit für sein Alter: schon dran gewöhnt, wie ein Gentleman angezogen

zu sein und wie ein möglicher Tyrann behandelt zu werden. Er war empfindsam, wie man an den großen Augen ja sehen kann, und treuherzig, und natürlich ein bißchen zum Ausgefallenen neigend. Sein Vater war nämlich wirklich eine sonderbare Person gewesen, weitschweifig und elizabethanisch. Der Junge verschwendete seine überschüssige Liebe an Tiere, besonders an Hunde. Eine Eule hatte er auch. Eines Tages lief er in die große Halle, weil da ein höllisches Spektakel herrschte. Alles ging laut durcheinander: Schreien und Lachen und Wüten: wie beim Schweineschlachten, bloß viel schlimmer, weil das Schreien menschlicher war. Das ging ihm zu Herzen, als ob das Tier wirklich was empfände und litte und vor Entsetzen schrie und verraten würde. Ein Schwein quietscht ohne Ausdruck – wie ein Messer an Porzellan; aber das hier, das war wirklich eine wissende Wehklage. Sie hängten eine Windhündin auf, die angeblich ein bißchen launisch war. Sie kämpfte und kämpfte; ihr schlankes Gesicht hing schmerzverzerrt und verdreht zur Seite. Ihr Bauch mit der Doppelreihe Zitzen sah nackicht und beschämend aus; so nackicht wie ein frisch-geschlachtetes Schwein im Metzgerladen: aber lebendig und gar nicht geschlechtslos. Der Haushofmeister und die Knechte hatten rote aufgegeilte Gesichter, und sie johlten mit vortretenden Augen: wie bei der Hündin. Ihr Schwanz krümmte sich zwischen den Läufen bis vor den Bauch. Sie strampelte zappelnd wie ein Hund, der von einem Hasen träumt, die Läufe zusammengelegt. Mit den Vorderläufen grabbschte sie nach dem Seil. Sie hatte aufgehört zu jaulen, als die Schlaufe enger wurde; und jetzt, wo die Knechte beiseitegetreten waren, kamen bloß noch kehlige Laute, und ihre vorquellenden Augen grüßten den Grafen.
Der Knabe rannte wieder hinaus, ohne sich etwas anmerken zu lassen, und der Zwischenfall schien beigelegt und bereinigt. Nicht, daß er auf einen Schlag den Verstand verloren hätte. Alpträume wird er wohl gehabt haben, im Schlafen und im Wachen. Aber er sagte nichts und vergaß nichts. Nur ganz allmählich war was zu merken – als er nämlich nachts anfing zu bellen, oder als er nicht mehr vom Zwinger wegzubringen war. Zuerst dachten sie, es wäre

ein Spiel, so, wie's Kinder spielen: ich tu so, als wär ich das-und-das. Sogar sein Vater hat mitgemacht und -gemimt, hat ihm den Kopf getätschelt und ihn ein liebes Hundchen genannt.
Eines Tages fanden sie ihn dann im Zwinger. Er konnte sich immer noch nicht alleine anziehn – schon gar nicht dies steife, aufwendige Zeugs –, aber er hatte es fertiggebracht, einen seiner spanischen Lederstiefel auszuziehen. Da lag er dann im Zwinger in der Sonne: richtig zerfetzt und zerlumpt. Den Stiefel hatte er in Stücke gerissen. Er nagte an einem trockenen Knochen, und seine Augen drohten unter den Brauen vor, daß man einen roten Rand sehn konnte. Mit viel Umstand versuchten sie, ihn da rauszukriegen. Schließlich mußten sie seinen Vater holen.
›Komm, Junge‹, sagte der Erste Graf. ›Das ist ungezogen.‹ Aber das Kind jaulte bloß.
Der alte Lüderjahn, der sich bei James dem Ersten gesund gestoßen hatte, fing an, die Geduld zu verlieren.
›Diese verdammten Albernheiten‹, sagte er. ›Da muß man sich ja schämen, sowas mit anzusehen! Los: auf dein Zimmer mit dir.‹
Das Knurren wurde grimmiger, richtig tief aus der Kehle. ›Daß ein Scamperdale‹, sagte der Graf unsicher und streckte ahnungsvoll seine Hand nach ihm aus, ›so hündisch sein kann.‹
Das Kind wedelte mit dem Hinterteil.
Dem Grafen reichte es. Das Knurren mochte ja noch angehn, aber mit dem Schwanzwedeln stimmte etwas nicht: das ging zu weit. Einem der Stallburschen nahm er die Peitsche ab und stürzte sich mit einer Art von erschrecktem Wüten auf seinen Sohn. Im Unterbewußtsein schien er dem Geheimnis auf die Spur gekommen zu sein, und jetzt versuchte er in panischem Entsetzen, es aus sich, aus seinem Nachkommen herauszuprügeln. Es war eine Teufelsaustreibung.
›Gehorsam!‹ schrie er nach jedem Schlag. ›Gehorsam!‹
Der kleine Kerl krümmte sich, im Genick gepackt, und legte seine Unterarme überkreuz wie die Vorderpfoten eines Hundes. Er winselte, wand sich, fing endlich an zu schnappen und zu beißen. Der Graf stieß einen gewaltigen Fluch aus. Plötzlich ließ er das Kind

fallen, die Peitsche dazu, trat verdattert zurück und rieb sich das Handgelenk. Dort war der Zubiß von sechzehn gleichmäßigen Zähnen zu sehen.

›Junge!‹ sagte der Graf; seine Augen waren weit aufgerissen und sein mächtiger Körper sackte in sich zusammen. Doch das Kleine kroch auf dem Bauch an ihn heran und leckte ihm die Hand.

Danach war nichts mehr zu machen. Er war ein Einzelkind; er war der Aug-Apfel seines Vaters und der Liebling aller; und er war fraglos wahnsinnig. Die Versuche, ihn zu heilen, waren ergreifend und entsetzlich. Angesehene Wissenschaftler aus der Schule von Dr. Lopez und Francis Bacon verschrieben zahllose Medizinen. Sie reichten vom relativ harmlosen Kräutertee und Mixturen aus Gold und Schlangenfett bis zu Einsperrung und Auspeitschung. Erfolg hatte keine. Nach zehn Jahren schickte sich der Vater ins Unausweichliche.

Sie haben dem Kind einen besonderen Zwinger gebaut und einen Pastetenbäcker in Dienst genommen, der aus Mehlteig und gekochtem Fleisch künstliche Knochen fabrizierte. Er hatte etwas gegen Kleidung, also wurde auch noch ein Schneider angestellt, der ihm aus dem Fell eines russischen Bären einen Pelz für den Winter machte; für den Sommer ein Rehleder-Wams, das sich als beträchtlich kühler erwies. Vermittels leichter Übergänge lockten sie ihn aus dem richtigen Zwinger, wo er immer von den Hunden gebissen wurde, in den künstlichen, und von dort stufenweise ins Haus, wo er wie ein Haushund gehalten wurde. Er schlief am Fußende von seines Vaters Bett. Es war ein rührender Anblick, wenn der alte Herr, dessen Frau gegen vierzehn Jahre zuvor verstorben war, an Winter-Abenden in der holzgetäfelten Halle vor dem Kamin saß und in die hellen Flammen der Ulmenscheite starrte. Und sein einziger Sohn hatte das Kinn auf seines Vaters Knie gelegt und blickte mit feuchten stummen Augen anhimmelnd zu ihm empor. Gelegentlich gab er ihm einen Stupps, wedelte mit dem Hinterteil und machte eine Kratzbewegung mit der Pfote. Der Alte, der in seinem Leben so viel Leid und Lust und Laster gesehen hatte, hob die Hand und streichelte ihn oder kraulte ihn sanft hin-

term Ohr, bis sein Sohn sich auf den bepelzten Rücken legte und seinen Bauch dieser köstlichen Kraulhand bot.
Der Junge – mittlerweile sechzehn – hatte die vergangenen zehn Jahre auf allen Vieren gelebt. Dies hatte eine merkwürdige Wirkung auf seinen Körperbau. Seine Handgelenke waren unnatürlich kräftig und gepolstert, seine Finger schwach. Seine Zehen, Waden, Schinken und sein Rücken waren muskulös, und im Nakken hatte er eine Art Bizeps. Die Innenseite seiner Unterarme, seine Brust und sein Bauch waren zurückgeblieben.
Natürlich gab es damals nicht dieselben Wahnsinns-Gesetze wie heute. Ein großer Mann war ein Potentat und schuf sich seine eigenen Gesetze. Man durfte ruhig ein *lusus naturae* oder *lunatic* oder Irrer sein – wenn nur der Stammbaum stimmte. Trotzdem machte der Graf sich um seinen Sohn Sorgen. Wenn's ans Erben ging, gab's immer Ansprüche; ob von Vettern oder fernen Verwandten oder Querulanten. Nicht einmal der Haushofmeister und die Kammerdiener waren über Verdacht erhaben. Nach dem Hinscheiden des Ersten Grafen würde es nur ein armselig-irres Geschöpf geben, das sich für einen Spaniel hielt, um die Linie fortzuführen. Es ging dem Grafen nicht so sehr um den Stammbaum – um den selbstverständlich auch –, nein, er hatte den armen Schwachsinnigen liebgewonnen. Würde der Junge sicher sein, konnte er weiterhin auf seinen simplen Zwinger, seine Pasteten-Knochen und die freundliche Behandlung hoffen, wenn das große Haus in die Hände eines Hofmeisters überging, der nur dem Namen nach Bediensteter war? Der alternde Graf malte sich aus, wie man den Jungen vernachlässigte, oder schlug, oder gar hinter Gitter brachte, sobald der derzeitige Diener dereinst sein Herr sein würde.
Charles der Zweite war auf dem Thron, der erste englische König mit Eigenpersönlichkeit. Man brauchte nur die Bilder zu betrachten, um die Veränderungen festzustellen, die sich seit den Jugendtagen des alten Scamperdale ereignet hatten. Der neue Monarch hatte nichts von der offiziellen Zurückhaltung seines stammelnden Vaters. Der Zweite Charles war eine Persönlichkeit. Er lun-

gerte müßig in Whitehall und ergötzte Schoßhunde, Affen und Mätressen mit den reich ausgeschmückten Erzählungen seiner Abenteuer. Schnellen Schrittes durchmaß er die Räume seiner Schlösser wie Spielwiesen oder Puppenstuben. Er nannte es ›Schlendern‹. Wenn er des Spielens mit seinen Geschöpfen in der Spielwaren-Abteilung überdrüssig war, tändelte er mit den Spaniels oder einer Mätresse, fütterte die Enten oder lauschte den Sängerknaben. Auch sang er selber oder spielte Theater und gab auf der *scena* verschrobene Bemerkungen von sich. Manchmal sprach er mit dem Baumeister Sir Christopher Wren oder dem weitgereisten Mr. Evelyn. Er schlug halt die Zeit tot.

Oder veränderte sie zumindest. In des Grafen Jünglingszeit – jener unglaublich fernen Periode, als der strohblonde Monarch sein Glück gemacht hatte – war der König mit Staatsgeschäften befaßt gewesen: eine Galeonsfigur der Verehrung. Charles der Erste hatte die Tradition fortgeführt. Jetzt jedoch, im Jahre 1665, hatte dieser düstere, fremdgesichtige Geselle andere Verhältnisse eingeführt. Man braucht nur sein Porträt mit dem seines Vaters zu vergleichen. Der zum Märtyrer gemachte Herrscher war sich stets seines Gewandes bewußt gewesen und hatte mit leerem Gesicht stocksteif in ihm dagesessen, wie's einem König ziemt. Die offiziellen Gewänder waren der offizielle König gewesen und hatten alle Aufmerksamkeit von einem möglicherweise menschlichen Gesicht auf sich gezogen. Der Sohn hatte dies alles geändert. Er kultivierte eine gepflegte Unordnung und schien, indem er eine Falte hineinräkelte, eine persönliche Dominanz über seine königliche Kleidung auszuüben. Er hatte so etwas wie ›Personalität‹ erfunden.

Leider schien diese Personalität andere Eigenschaften im Gefolge zu haben. Könige waren, indem sie aufhörten, nur Galeonsfiguren zu sein, wieder menschliche Wesen geworden: und Menschen-Natur ist fehlbar. Bei der Konversation mit Old Rowley wäre Seine enthauptete Majestät pausenlos errötet. Des Märtyrers Sohn, der König von England, hatte seinen Spitznamen nach der Palast-Ziege bekommen! Sogar der alte Duke of Buckingham, der hohle Steenie, der die ausgefallenen Neigungen zweier aufeinander folgender Monarchen ausgebeutet hatte, wäre von Benimm und Benehmen des neuen wahrscheinlich überrascht gewesen. So hatte der neue Herzog, zum Beispiel, kürzlich Lady Shrewsbury verführt und ihren Gatten im Duell getötet, bei dem die Lady, als Page kostümiert, anwesend war. Sie hatte des Herzogs Pferd gehalten, nicht das ihres Gatten, und war mit dem Sieger selbigen Abends ins Bett gegangen – mit dem Sieger im blutbesudelten Hemd, das er beim Abschlachten des Ehegemahls getragen hatte. Die Moral war individuell geworden. Lady Castlemaine hatte man in ihrer Kutsche im Park umhergefahren: auf dem Rücken liegend, offnen Mundes, schnarchend! Das wäre früher von einer adligen Ehefrau aus Scamperdales Jugendzeit undenkbar gewesen. Stand und Stellung im Leben hatten Eigenwert, waren eine Institution, die durch sich selbst bestand. Jetzt war alles eine Frage der persönlichen Einstellung. Lady Castlemaine hatte sich schlafen gelegt, nicht, weil sie eine Institution schockieren wollte, sondern weil sie entschieden hatte, daß diese Handlungsweise für sie, und unter den gegebenen Umständen, vernünftig sei. Vielleicht war sie gelangweilt und zugleich müde gewesen. Sie hatte Zeugnis von ihrem privaten Verhaltens-Stil abgelegt. Das tat heutzutage jedermann. Man machte, was und wie einem beliebte. Buckhurst, Sedley und Ogle schwankten am Fenster der Cock Tavern, ohne was an, stockbesoffen, und zeigten sich gröhlend der Bevölkerung. Sogar der König wurde beschuldigt, sich insoweit über das Reglement hinwegzusetzen, als er gleichzeitig zwei Frauen geheiratet habe.

Da bestand wenig Hoffnung, daß eine solche Gesellschaft dem Geschlecht der Scamperdales Ehre erweisen werde. Würde man dafür sorgen, daß der irre Knabe Erbe bliebe, nur weil er seines Vaters Sohn war? Sitte, Erbfolge, Erstgeburt und Rang schienen dem Hallodri Charles nicht viel zu bedeuten. Es gab keine *bien-séances* mehr, keine Traditionen. Es war schwierig, Ehrfurcht vor dem Adel zu erwarten, wenn die Hälfte seine eigene Schöpfung war – im doppelten Sinne. War's Rochester, der die berühmte Bemerkung machte, als der König von einer Abordnung als ›Vater des Volkes‹ apostrophiert wurde? Eine Schmähschrift über das Königtum, verfaßt von seinen Höflingen! Gleichviel: ein anderer König war nicht da, und eine andere Lösung gab's auch nicht. Der greise Graf begab sich auf die Reise nach London, wo sein distinguiertes Auftreten, sein provozierender weißer Bart und seine antiquierte Kleidung sensationelles Aufsehen erregten und eine Mode kreierte, die genau vierzehn Tage überdauerte. Er präsentierte sich den gereizten, gift-gesichtigen Gaffern und ließ sich mühevoll auf ein Atlas-Knie nieder. Der König war gerührt. Die hoheitsvolle Hinfälligkeit des alten Herrn hatte wahre Größe: die grausige *grandeur* menschlicher Bedeutungslosigkeit, die die Götter durch Stolz beschämt. Der König hieß ihn sich erheben – und vergaß ihn prompt.

So starb also der Erste Earl of Scamperdale im damals geradezu unglaublichen Alter von achtzig Jahren, und in Woodmansterne blieb, unter dem Schutz eines abwesenden Königs, ein Zwinger zurück. Der König hatte alles vergessen, doch die Diener hatten nichts vergessen, und mehr brauchte es für die Zwecke des Verstorbenen nicht. Die Regierung des Zweiten Grafen war friedvoll. Alles im unbewohnten Hause wurde unberührt gelassen – für den möglichen Fall, daß der Junge gesunden würde. Die Dienerschaft war glücklich und geschäftig: befehligt von einem Haushofmeister, dem gegenüber der verstorbene Herr niemals auch nur die Spur eines Mißtrauens hätte zu haben brauchen. Der Zweite Graf war ein Spaniel, und wie einen solchen behandelten sie ihn. Eine Zeitlang hatte man sich redlich bemüht, ihn mit ›Eure Lordschaft‹ anzureden, aber auf den Namen hörte er nicht. Darauf nannten sie ihn ›Dowsabel‹, nicht ganz angemessen, da es im Grunde ein weiblicher Name ist; aber Hundenamen sind ja häufig irreführend. *Douce et belle*. Es war ein hübscher Name, und dem Jungen schien er zu gefallen. Kaum je dürfte es einen gefälligeren Spaniel als den Zweiten Grafen gegeben haben. Jeden Nachmittag führte ihn der Haushofmeister in den Feldern aus, und einmal fing er ein Karnikkel. Zuvor waren seine diesbezüglichen Bemühungen rührend-

hilflos gewesen, weil ihm das Laufen auf seinen kurzen ›Vorderarmen‹ Schwierigkeiten bereitete. Als sich jedoch die nötigen Muskeln entwickelten und andere sich zurückbildeten, wurde er agiler. Er lief mit weit gespreizten Hinterbeinen, um nicht mit den Knien gegen die Ellbogen zu stoßen, und den Kopf hielt er seitwärts gerichtet. Das war leichter, als den Kopf in den Nacken zu werfen, und überdies verschaffte ihm diese Haltung – zumindest in einem Viertelkreis – gute Sicht. Das Karnickel erwischte er mehr vermöge seiner Intelligenz als durch Schnelligkeit, denn er schnitt es in einiger Entfernung vom Bau ab und lief nun nicht hinter dem Karnickel her, sondern rannte klugerweise schnurstracks zum Loch. Er war ein sehr intelligenter Hund. Für ein Stück Zucker konnte er Männchen und bitte-bitte machen und sich totstellen: zu Ehren von King Charles. Ja, schließlich willigte er sogar ein, sich kostümieren und von Sir Peter Lely porträtieren zu lassen, wenngleich er sich auch etwas närrisch dabei vorkam. Das einzige, was er haßte, war das allmonatliche Bad.
Der König erinnerte sich seiner, aus einer Laune heraus, so, wie er ihn einst vergessen hatte. Er sprach gerade mit Dr. Bovill über Züchtung.
›*Porco Dio!*‹ rief der König aus. (Er war kosmopolitisch angehaucht.) ›Wir haben den Graf Spaniel vergessen!‹
In puncto Politik war's praktisch unmöglich, Charles zu irgendeinem Entschluß zu bringen. Niemand wußte, was er als nächstes tun mochte – und ob überhaupt etwas. Würde der Duke of Monmouth geköpft oder begnadigt werden? Es war nicht vorherzusagen. Doch wenn's um sein eigenes Vergnügen ging, um seine persönlichen Interessen, konnte der König mit einer impulsiven Heftigkeit handeln, die jedermann baß verblüffte. Es war wie sein ›Schlendern‹, bei dem er, auf Ausflügen, eine Geschwindigkeit zwischen fünf und sechs Meilen die Stunde erreichte, was die Mitglieder seines Hofstaats veranlaßte, alle paar hundert Schritt eine Pause einzulegen und sich mit dem Hute Kühlung zuzufächeln. Binnen drei Tagen (einem bemerkenswert kurzen Zeitraum, wenn man die Transportmittel jener Tage in Betracht zieht und die Ent-

fernung von Woodmansterne nach London bedenkt) wartete der Zweite Graf vor des Königs ›Laboratorium‹: angetan mit roter Leder-Leine und einer blauen Schleife am Hals.
Das Ganze wurde mit großer Verschwiegenheit bewerkstelligt – denn wenn Charles auch nur wenige oder gar keine Sorgen hatte, was seine eigene Achtbarkeit betraf, so war er doch streng dagegen, andere zu demütigen. Wäre Rochester dabei gewesen, oder gar die Herzogin von Portsmouth, so hätte es vielleicht Gerede und Gelächter oder einen Skandal gegeben. Außer Dr. Bovill aber war niemand anwesend. Derlei feinfühlige Erwägungen – sogar einem Grafen gegenüber, der sich für einen Hund hielt – machten Charles eben zu einer faszinierenden Figur.
Der König kam, begleitet von dreien seiner eigenen kleinen Spaniels, aus dem ›Laboratorium‹ und sprach äußerst huldvoll mit dem Haushofmeister, der den Zweiten Grafen an der Leine führte. Er erkundigte sich nach dem Magenfahrplan und den Lebensgewohnheiten Seiner Lordschaft, wobei er lebhaftes Interesse für seine jagdlichen Neigungen und an dem Karnickel bekundete, das er hatte zur Strecke bringen können. Der Zweite Graf wurde aufgefordert, sich für König Charles totzustellen, und dies tat er mit Anmut. Der König bückte sich und kraulte ihn hinterm Ohr. Dann wurde der Haushofmeister (während der geplagte Peer steifbeinig umherstelzte und die drei Spielzeug-Spaniels beschnupperte) einem regelrechten Verhör unterzogen. War der Graf gut abgerichtet? Mußte man ihn korrigieren? War er ein guter Wach-Hund? Stubenrein? Wie alt? Inzwischen untersuchte Dr. Bovill den jungen Herrn automatisch und machte sich eine Reihe von Notizen betreffs Verschiebung gewisser Muskelpartien.
Der König schien höchlichst interessiert an Scamperdales Alter (unterdes einundzwanzig) und stellte eine Intim-Frage. Nein, Seine Lordschaft habe bislang keinerlei Bekanntschaft mit der Liebe gemacht. Waren auf diesem Gebiet gewisse Überlegungen angestellt worden? Das allerdings. Der Haushalt zu Woodmansterne war in zwei Lager gespalten. Die große Mehrheit beharrte darauf, daß eines Tages eine anmutige Jungfrau auftauchen werde,

deren weiblicher Zauberkraft es schließlich gelänge, Seine Lordschaft von dero Leiden zu heilen. Diese Majorität sorgte für eine fortlaufende Vorführung von Jungfrauen – eine Art Mannbarkeits-Parade –, auf daß eines Tages die eine oder andere seine Aufmerksamkeit errege. Die andere Fraktion, die magere Minderheit, war der Überzeugung, Seine Lordschaft werde nur zu einer Spaniel-Hündin (einer Spanielin) in Liebe entbrennen, und das beste sei, sich den Mächten der Natur zu beugen.
Seien diese Alternativen ausprobiert worden? Ja. Die eine bis zur Erschöpfung, die andere insgeheim: beide ohne Erfolg.
Seine Majestät äußerten sodann ein paar Bemerkungen über die leuchtenden Augen Seiner Lordschaft, ordneten an, den Jungen wieder nach Woodmansterne zu bringen, und zogen sich in sein ›Laboratorium‹ zurück, um die Angelegenheit mit Dr. Bovill zu besprechen.
Charles, der Zeit-schindende und dilettierende Zauderer, war im Grunde ein Philosoph. Man lebte schließlich nur einmal, und es kam ihm zu, dieses Leben nach Kräften auszukosten. Er war ein Mann, sich dessen bewußt: mit einem Mannes-Leben und seiner Vergänglichkeit unter der kaschierenden Krone. Was für einen Sinn hatte es, sich über Könige und Diplomaten und Außenpolitik zu erregen, wenn es genügend andere gab, die derlei gerne taten, während so wenig Zeit blieb, die Welträtsel zu lösen? Sein lateinischer Fatalismus war es, seine experimentelle Philosophie (hatte er sich nicht unter Lebensgefahr in einer Eiche versteckt?) – was ihn auf seinen weitgreifenden Beinen von Mätresse zu Mätresse trieb, von einem Experiment zum andern. In Wirklichkeit war er ein Wissenschaftler auf der Suche nach Wahrheit. Sein einziges Handicap war die Überfülle der Möglichkeiten.
Als ihm die interessante psychologische Monstrosität des Zweiten Grafen vor Augen gebracht wurde, stürzte Charles sich gierig darauf. Hier lag ein Phänomen vor, wie es den Wissenschaftlern des siebzehnten Jahrhunderts behagte. Sir Thomas Browne hätte es ernsthaft und einfühlsam in seinen *Vulgar Errors* abgehandelt, und der König war zielstrebig und zäh. Er war ein Mann mit welt-

lichen Maßstäben, wie die meisten Geheim-Katholiken, und augenblicks kam er auf den Kern der Sache. Dem Geschlechtlichen galt seine ganze Hingabe. Es gelüstete ihn nicht, den Grafen zu kurieren. Zum einen gab's normale Grafen die Menge, indes nur einen, der sich für einen Spaniel hielt. Zum andern: der Junge war jetzt fünfzehn Jahre lang ein Hund, und mit einer Heilung konnte man kaum rechnen. Dem König mit seiner sonderbaren Mischung aus launischer Ratlosigkeit und humoriger Stimmung kam solch ein Spielzeug höchst gelegen: es lenkte ihn ab und sprach ihn zugleich an. Der Graf verdiente Mitgefühl ob seines augenscheinlich freundlichen Wesens und seiner abhängigen Hundehaftigkeit. Er vermittelte Seiner Majestät ein Gefühl von Verantwortung.

Für einen Hund konnte man nur wenig tun, allenfalls eine Gefährtin für ihn finden. Menschen oder andere Hunde kamen offenbar nicht in Betracht. Dr. Bovill verfiel auf die logische Lösung. Der Earl of Scamperdale hielt sich für einen Hund – also würde die künftige Gräfin sich für eine Hündin halten müssen.

Mit Eifer und Geschäftigkeit ging man das Problem an. Eine von Dr. Bovill geleitete königliche Kommission durchkämmte Bedlam, das Tollhaus. Dort fand sich eine Frau mit Hydrophobie; doch war sie erst vor kurzem eingeliefert worden und starb alsbald. Ansonsten gab es nichts Entsprechendes. Eine Minderheit der Kommission war der Meinung, man solle in allen Städten und Dörfern Englands eine Menschen-Hündin ausrufen lassen und komme auf diese Weise vielleicht zum Ziel. Die Mehrheit sprach sich, nach einer Unterredung mit dem König, dagegen aus. Charles hatte seine (ihm gut zu Gesicht stehenden) Bedenken und lehnte ab. Das war denn doch zu ordinär und primitiv. Scamperdale war schließlich ein Graf; hinzu kam die Erinnerung an ein stolzes, von Rheuma geplagtes, in Atlas gewandetes Knie, das sich vor einem Affengesicht beugte; ein altes unversöhnliches Knie, das sich im besten Mannesalter vor Charles dem Ersten gebeugt hatte; und noch früher, in stutzerhafter Seide, vor dem rötlich-haarigen James. Seine Majestät hielten die Nachfor-

schung in königlichen Bahnen. Unter mühevoller und ermüdender Geheimhaltung wurden Agenten an die Höfe Europas entsandt.
Im Verlaufe zweier Jahre materialisierten sich manche Möglichkeiten. In Neapel sollte eine Frau leben, die ein Mädchen mit dem Kopf eines Monsters geboren hatte. Alexis von Rußland entdeckte ein Dorf in Sibirien, das ausschließlich von augenscheinlich menschlichen Wesen bewohnt war, die bellten. In Fern-Ost wurde von einem Stamm berichtet (wahrscheinlich handelte es sich um die Ainus in Japan), der von Kopf bis Fuß behaart sein sollte. Alfonso der Sechste erhielt Brief aus Goa, einen Brahmanen betreffend, der sich auf Ellbogen und Knien fortbewegte. Francesco Cornaro schrieb aus Venedig von einem Jungen mit einem sechs Zoll langen Schweif.
Trotz dieser weltweiten Nachforschungen aber kam die Lösung zum Schluß aus Schottland. An den Hängen von Lochnager lebte eine Kleinbäuerin von vierzig Wintern, die behauptete, von einem Werwolf geschwängert worden zu sein. Das Resultat, ein Mädchen, war das Schreckgespenst des Distrikts, bis hin nach Morven Hill und Ben Macdhui. Bei drei Gelegenheiten war das Mädchan gesteinigt worden; in früher Kindheit hatte man es einmal für tot liegenlassen. Sie konnte nicht sprechen, lief auf allen Vieren und verjagte angeblich die Schafe. Nur unergründliche Mutterliebe hatte sie in der bösen nördlichen Welt am Leben erhalten. Das kleine Zwitterwesen war von Soldaten aus Braemar gejagt worden, und ein Geistlicher aus Dundee hatte die Hexe samt ihrer Ausgeburt im Sabbat-Sermon angeprangert. Die Mutter verbarrikadierte die Tür, verteidigte ihren armen Abkömmling mit der ganzen Macht ihrer wütigen Witwen-Weiblichkeit. Die ruppig-religiösen Kreuzzügler, die von Blair Athol und Ballater gegen den fleischgewordenen Menschenfeind zu Felde gezogen waren, legten Reisigbündel um die unbehauenen Steine ihres kleinen Hauses, setzten sie mit dem Ingrimm konzessionierter Bestialität in Brand, standen mit Stöcken und Musketen auf der Lauer, um das gottlose Paar in einer sadistischen Orgie frommer Furcht zu ver-

nichten. Als der Rauch unerträglich wurde und die rötlichen Steinmauern sich in einen Ofen verwandelten, öffnete die Mutter die Tür. Da stand sie, knurrend und zerknautscht, mit verfilzten grauen Haaren: das Ur-Bild einer Tiermutter. Sie schossen sie ins Herz. Das tolle Tochtertier kauerte in einer Ecke. Sie rissen ihr die Lumpen vom Leib. Nackt, was ihr nichts ausmachte, abstoßend, wie sie von Geburt aus war, mit einem idiotischen Grinsen – so wurde sie nach Braemar geschleppt und eingesperrt, um feierlich verbrannt zu werden.

Der König begnadigte sie, doch nicht ohne Hemmnisse. Die schottischen Schluchten waren dazumalen schwer zu erreichen und schwierig zu bezwingen. Sie wurde befreit und in eine Kutsche gepackt. Die Kutsche trug ihre Last über Devil's Elbow und durchs Spital von Glenshee nach Perth. Sie wurde von einem Trupp Berittener behütet. Auf der ganzen Fahrt durch England klapperte die Kavallerie neben dem schwarzen Gefährt her, und der Kutschkasten schlingerte auf seiner unzulänglichen Federung, und im Kasten drinnen knabberte die Tier-Tochter an ihrem Knochen. Wenn die Tür geöffnet wurde, versteckte sie sich in einem Winkel und knurrte; es war ein drohendes, knirschendes Knurren, so, als würden zwei Reibflächen aneinander gerieben. Es war unmöglich und gefährlich, sie hervorzulocken. In Doncaster war Neumond, und sie heulte die ganze Nacht.

Der König begab sich nach Woodmansterne, um sein Experiment in die Wege zu leiten. Er schlief in einem rotsamtenen Raum mit silberner Toilettengarnitur und Silberspiegeln. Am Morgen kam die Kutsche.

Sie brachten den Zweiten Grafen in die große Halle, die sich zu ebener Erde der Veranda anschloß, und die schwarze Kutsche fuhr an der Veranda vor. Beiderseits der Kutsche standen Soldaten mit gezogenen Säbeln, so daß nur der Eingang zur Halle offen blieb. Mit einer rostigen Heugabel wurde sie herausgezerrt.

Der König und Dr. Bovill – dazu ein paar Angehörige des Hofstaats und der Haushofmeister und die Lakaien – standen auf der Spielmanns-Galerie über der Halle. Ein Lakai mit blankem Schwert

und einem altertümlichen Pistol war an der Vorratskammer postiert, falls ein Eingreifen erforderlich werden sollte. Draußen erhob sich Getümmel, Schreie wurden laut, Kommandos erklangen, Stöcke stießen. Die Veranda-Tür, bisher von der Sonne beschienen, wurde geschwind geschlossen. In der Dunkelheit, unter dem dämmerigen Tudor-Dach, befanden sich nun die beiden Wahn-Wesen.
Sie stand still, während sich ihre Augen an das Dämmerlicht gewöhnten. Der Zweite Graf, der sich beim ersten Geräusch aus seiner Ecke am Kamin erhoben hatte, ging gesenkten Kopfes auf sie zu: geheimnisvoll und gefahrdrohend. Sie roch ihn, ehe sie etwas sah. Ihre Augenzähne, die ungewöhnlich lang waren, bleckten mit wölfischen Warnzeichen. Sie kroch rückwärts, verwirrt von den vielen Begebenheiten, die ihr letzthin widerfahren waren; die Flanke an der Wand. Armes Ding: sie war nicht nur eine Wölfin, sondern saß in der Falle; nicht nur eine gefangene Wölfin, sondern eine schottische Wölfin in fremdländischer Schlinge. Der Zweite Graf näherte sich ihr mit verdächtigem Knurren. Sie knurrte ebenfalls, steif und starr, mit abgewandtem Kopf, aus den Augenwinkeln funkelnd. Der Graf hielt einen Schritt vor ihr inne. Er schnupperte und brummte grollend. Sie stand unbeweglich. Er umschlich sie in einem Halbkreis, auf stelzigen Beinen, und beschnupperte sie, während sie einen krummen Buckel machte. Einen Augenblick lang verhielt auch er und fixierte sie von der Seite. Die beiden Biester standen reglos. Dann wurde der Junge weich, schmolz dahin, ging furchtlos auf sie zu und kratzte sie mit den Fingern seiner Pfote. Sie stürzte sich auf ihn. Ihre Zähne waren auf seinen Nacken gerichtet, so daß der König erschreckt eine angstvolle Bewegung machte. Doch der Graf legte sich auf den Rücken. Als freundschaftlich-beschwichtigende Geste wedelte er mit dem Hinterteil, lächelte mit einem unterwürfigen Ausdruck und unterwarf sich ohne einen weiteren Widerstand willig den weiblichen Launen der Zweiten Gräfin von Scamperdale.«

Kopfkalamitäten

Der ältere Firmen-Teilhaber behauptete, von Talleyrand abzustammen – wenn auch in morganatischer Linie. Zu seinem Kummer wurde er langsam alt.
Er holte seine goldene Cartier-Taschenuhr hervor – kaum dicker als eine *half-crown* – und konstatierte, daß es 9 Uhr 40 war. Er telephonierte.
»Susan?«
»Oh, Francis!«
»Henry weg?«
»Fährt immer mit dem gleichen Zug. Weißt du doch.«
»Weiß ich. Also, Schatz?«
»Francis, ich kann nicht kommen. Du darfst mich nicht so... so anrufen. Ehrlich, bitte. Ist bloß eine kleine Vermittlungsstelle, und wer weiß, wer da alles mithört. Schließlich bin ich verheiratet. Ich bin seine Frau. Du weißt doch, wie's ihm zuwider ist, wenn ich mit dir ausgehe.«
»Er braucht's ja nicht zu erfahren.«
»Natürlich wird er's erfahren. Er rückt mir ja nicht von der Pelle. Wie soll er's da nicht erfahren? Ehrlich: ich kann nicht kommen, Francis. Ich tät's ja schrecklich gern – aber, ehrlich: kein Sand.«
»Sand?«
»Zum in die Augen streuen.«
»Henry«, sagte er mit Ingrimm, »muß mal für eine Weile auf Eis gelegt werden.«
Als der Junior-Partner ins Büro kam, befand er sich in vergnüglicher Stimmung.
»Da. Endlich mal ein anständiger Hut«, sagte er und deponierte die schwarze, makellose Kopfbedeckung auf dem Schreibtisch. »Hab ihn heut früh bei So-und-So gekauft. Bester Hutladen der Stadt. Wirst dich wohl ein bißchen flottmachen wollen, Francis, wo du langsam in die Jahre kommst. Kauf dir einen neuen Hut und laß dir die Füße pediküren, haha! Kaum zu fassen, was ein neuer

Hut aus einem alten Knaben macht, alter Knabe. Frühlings-Traum jedes Jünglings, und so. Leicht gebogene Krempe. Neueste Mode. Größe sechs und sieben-achtel. Hat mich bei So-und-So fünf Scheinchen gekostet. Dicker Hund. Der Hut.«
Er riß das Etikett mit der Hut-Größe ab und warf es in den Papierkorb.
»Du überwältigst mich geradezu, Henry.«
»Quatsch.«
Der Jüngere hängte den Hut an einen Hut-Haken im Büro und ging – barhaupt – zur Börsen-Etage hinauf.
Francis sah ihn lange an; ihm mißfiel seine schwungvolle Aufdringlichkeit, seine Vulgarität, seine Boshaftigkeit, seine Krempe. Denn er *war* boshaft. Allein schon, weil er fünf Guineas gekostet hatte. Es war ein närrisch-ordinäres Hut-Gebilde.
Er klingelte der Sekretärin. Sie kam: angetan mit einer blitzenden, randlosen Brille (oktagonale Gläser), sanft säuerlich, effizient, dem Firmen-Chef auf Gedeih und Verderb ergeben.
»Mr. Foster hat sich einen neuen Deckel gekauft.«
»Seh schon.«
»Neuste Mode.«
»Hoffentlich ist er groß genug für Mr. Fosters Kopf.«
Mit seinem undurchschaubaren Poker-Gesicht (Talleyrands Erbe) examinierte er sie – so, daß man's für Wohlwollen hätte halten können.
»Haben wir heute was anliegen, Miss Vine?«
»Nur Robinson & Peabody.«
»Mit denen werd ich fertig.«
»Paar Briefe sind zu unterschreiben.«
»Ja.«
Er legte die Kuppen seiner langen Finger zusammen.
»Miss Vine, würden Sie die Güte haben, ein Taxi zu nehmen und zu Messrs. So-und-So in der Bond Street zu fahren und mir einen Hut zu kaufen? Genau so einen wie den von Mr. Foster: Größe sieben-einhalb? Nehmen Sie ihn mit, wenn Sie meinen: damit er genau gleich ist.«

»Wird gemacht, Mr. Marchand.«
»Soll ein kleines Geheimnis zwischen uns bleiben.«
Als es Zeit zum Heimgehn war, nahm Henry die superbe Kopfbedeckung vom Haken und setzte sie sich mit einer gewissen Grandezza aufs Haupt. Der Hut rutschte ihm bis auf die Nasenwurzel.
»Lieber Himmel«, sagte er. »Seh sich das einer an. Erst heut früh gekauft – und schon die Form verloren. Na, ich werd mit den Blödköppen von Bond Street ein fettes Hühnchen zu rupfen haben. Man sollt doch meinen, daß ein teurer Hut von So-und-So... Sie werden ihn mir umtauschen müssen, ohne Frage. Verdammte Profit-Haie!«
Am nächsten Morgen kam er zu spät, bekümmert und mit einem neuen Hut; diesmal nachtblau.
»Sie wollten mir weißmachen, er hätte sich geweitet, weil ich das Etikett rausgerissen habe. Aber ich hab ihnen den Marsch geblasen. Ich hab ihnen was zu knabbern gegeben. Sie haben behauptet, er hätte von Anfang an nicht passen können. Hat er aber. Hast mich doch damit gesehn. Miese Gesellschaft. Jedenfalls haben sie ihn mir schließlich gegen diesen hier umgetauscht. Ich find ihn sogar besser – findest du nicht auch? Siehst du den Blau-Effekt? Bei Kunstlicht wird er schwarz; kann man also mit ins Theater gehn. Aber ich hab ihnen verdammt klargemacht, daß ich das letzte Mal bei So-und-So gewesen wär.
Mit solchem Gelichter muß man knallhart umgehn, sonst ziehen sie einem das Fell über die Ohren. Auf Service bestehen: das ist meine Devise, wenn man anständig bedient werden will. Aber: genau genommen gefällt mir dieses Modell besser. Ist ein bißchen keß, findest du nicht? Bist du nicht mal auf den Gedanken gekommen, dir einen neuen Deckel zuzulegen, alter Knabe? Genau das Richtige, wenn man in die Jahre kommt.«
Als er sich an seine Arbeit gemacht hatte, sagte Francis zu sich (mit einem angedeuteten Ausrufungszeichen zwischen den Brauen): »Ins Theater gehn!« Er läutete nach Miss Vine.
»Kunstlicht-Blau, diesmal«, sagte er, »bitteschön. Wie der neue. Größe sieben-einhalb.«

»Wird erledigt, Mr. Marchand.«
Als ihm am Abend der mitternachts-blaue Hut über die Augenbrauen rutschte, riß Henry ihn sich mit Entsetzen vom Kopf. Argwöhnisch schaute er zu seinem Teilhaber hinüber, um zu sehen, ob der etwas bemerkt habe. Und begab sich auf die Toilette, wo er ihn vor dem Spiegel des Waschraums etliche Male auf- und ab- und aufsetzte. Versteckt nahm er ihn mit nach Hause – unter den Arm geklemmt.
Ehe am nächsten Tag das Geschäft geöffnet wurde, stellte Francis zu seinem Bedauern fest, daß der junge Mann deprimiert zu sein schien.
»Ist dir nicht ganz wohl, Henry?«
»Wieso?«
»Ich bild mir ein, du siehst irgendwie anders aus. Ich weiß auch nicht...«
»Wie ›anders‹?«
»Wird wohl nichts sein.«
»Vielleicht habe ich Sorgen. Kummer. Oder so.«
»Ich meine: die letzten Tage scheinst du dich irgendwie verändert zu haben.«
»Verändert?«
»Geschwollen oder so. Gedunsen. Aufgebläht. Kann aber Einbildung sein.«
Henry fragte forsch: »Hast du mit Robinson & Peabody abgeschlossen?«
»Ja. Ist glatt über die Bühne gegangen.«
Nach einem Weilchen erkundigte er sich: »Kann ein Kopf anschwellen?«
Francis lachte. »Deiner bestimmt nicht«, sagte er scherzhaft. »Mach dir keine Sorgen, Henry. War bloß so 'n Gedanke, der mir durch den Kopf ging. Optische Täuschung oder so was.«
»Wenn einem der Kopf wirklich anschwellen kann – ist das was Ernstes?«
»Unsinn. Der berühmte Hut bringt dich auf verquere Ideen, das ist alles.«

Henry ging zur Börse, und Francis ging zum Hut-Haken. Das Schweißband des blauen Hutes (Größe sieben-einhalb) war mit braunem Papier ausgestopft. Er holte das Original (6–⅞) aus der untersten Schublade seines Schreibtischs, brachte das braune Papier darin an und hängte die Kopfbedeckung an den Haken. Stattdes wanderte Größe 7½ in die Lade.

Am Abend setzte sich Henry seinen Hut nicht im Büro auf, sondern ging zur Toilette, wohin ihm Francis – taktvollerweise – nicht folgte.

Er kam heraus, bang und bleich, den Hut auf seinem gekräuselten Schopf balancierend. Man war geneigt, ihn für angesäuselt zu halten. Fasching oder Weiberfasnacht oder dergleichen. Auch hätte man an eine morgenländische Huri denken können, die einen Krug zum Brunnen trägt. Mit Bedacht und Behutsamkeit ging er die Treppen hinunter, geradeaus blickend, wortlos.

»Was ist eigentlich Wassersucht?« fragte Henry am Morgen, nachdem er den Hut aufgehängt hatte (jetzt ohne Einlage). »Kann man einen Kropf am Kopf haben?«

Er blickte belämmert drein, sah böse aus – so, als leide er unter den Nachwehen des Versuchs, seinen Kummer zu ersäufen.

»Natürlich nicht.«

»Ich hab unter ›Schlangenbissen‹ nachgesehn – in einem Boy-Scouts-Tagebuch, was ich noch habe, und darin steht, es gäb' zwei Arten Gift. Sie heißen Hämotoxin und Neurotoxin. Ein Vipern-Biß ist hämotoxisch, und man schwillt sofort an. Man muß die Stelle aussaugen und sich dann den Mund mit Kaliumpermanganat ausspülen. Aber wie kann ich mich am Kopfe saugen?«

»Wovon redest du, um alles in der Welt?«

»Außerdem glaube ich nicht, daß mich eine Schlange gebissen hat.«

»Henry, hast du Fieber?«

»Ja.«

»Hab' ich mir gedacht. Siehst ein bißchen mitgenommen aus.«

»Haben Moskitos Hämotoxin?«

»Weiß ich nicht. Keine Ahnung. Hör mal zu, Henry: mit dir

stimmt was nicht. Sieht ein Blinder. Weshalb nimmst du dir nicht einen freien Tag und legst dich ins Bett?«
»Ich mache weiter«, sagte er heldenhaft. »Bis zum bitteren Ende.«
Während er also weitermachte, tauschte Francis die passende Größe gegen Größe sieben-einhalb aus.
Er kam aus der Toilette, als spiele er Blindekuh: den Hut über den Ohren – wie ein Pferd mit Strohhut. In beunruhigendem Schweigen tappste er die Treppe hinunter – in der Hand ein Päckchen Kaliumpermanganat.
Am Morgen konsultierte der Senior-Partner seine Cartier-Uhr und hob den Telephonhörer.
»Susan?«
»Oh, Francis!«
»Henry weg?«
»Na ja, nein; eigentlich nicht. Das heißt: ja. Er hat sich in ein Sanatorium begeben.«
»Ein Sanatorium! Herr des Himmels! Doch wohl nicht krank?«
»Er hält sich dafür. Ist aber auch zu sonderbar. Er sagt, sein Kopf schwillt und schrumpft. Glaubst du, so was gibt's?«
»Bei Henry ist alles möglich.«
»Da kann er also nicht ins Büro kommen.«
»Der arme Henry!«
»Und dann sieht er auch ein bißchen rötlich-braun aus, so, wie Permanganat.«
»Kein Sand...?«
»Ehrlich.«
»Meine arme Susan. Das muß ja schlimm für dich sein. Du solltest mal einen Tapetenwechsel vornehmen.«
Keine Antwort.
»Schatz?«
»Na ja, Francis. Ich *könnt* ja kommen. Wenn's Henry gegenüber nicht so herzlos aussehn tät?«

Erfolg oder Versagen

Das Haus, in dem sie wohnten, nannte sich Colenso. Es stand in einem Vorort von London, nahe Wembley, und hatte die Form eines Käse-Keils. Das rote, reichlich hohe Dach war in einem spitzen Winkel gebaut, der um 1920 als ›künstlerisch‹ gegolten hatte. Sämtliche Häuser der Straße hatten die gleiche Dach-Form. Sie waren halb freistehend. Die Straße hieß Laburnum Avenue: Goldregen-Allee. Hinter jedem Haus war ein rechteckiges Stück Garten, sechzig mal dreißig Fuß, mit einem Holzzaun dazwischen. Sie waren verschieden angelegt. Die schlampigeren bestanden nur aus hohem Gras und Wäschepfählen; viele jedoch verrieten Stolz und versuchten, ihre Nachbarn zu übertrumpfen. Der Garten von Colenso begann oben, am Haus, mit einem schmalen Streifen sorgsam gemähten Rasens. Dann kam eine adrette Abteilung mit Stachelbeer- und Himbeerbüschen nebst drei Apfelbäumen. Daran schloß sich eine Rabatte mit Kartoffeln und Karotten an. Am Ende des Gartens befand sich ein Hühnerhaus mit acht Hennen, dazu ein kleiner Schuppen, in dem Mr. Briant zu schreinern pflegte. Im Sommer stand eine phantasievolle Schaukel-Liege auf dem Rasen zwischen einigen Croquet-Bügeln.

Alles um und in Colenso wurde vorbildlich instandgehalten. Das Linoleum in der Diele und auf der Treppe glänzte vor Bohnerwachs. Der Messingkübel am Wohnzimmerfenster, in dem ein Farngewächs wuchs, wurde zweimal die Woche poliert. Niemand saß je im Wohnzimmer – es sei denn, daß jemand zum Tee kam, und dann wurde das feine Porzellan hervorgeholt (Crown-Derby-Imitation), während die Besucher auf den harten, steifen, sauberen Drage-Stühlen hockten, die nach frischem Stoff und Möbelpolitur rochen. Die Küche, wo sich das eigentliche Familienleben abspielte, glänzte akkurat wie das Wohnzimmer. Die Herdplatte wurde jeden Tag geschwärzt, und seine Messingteile glänzten von Putzmitteln, so, wie auch all die Nippes-Geräte – kupferne Briefständer in Gestalt von Galeonen, Toastgabeln mit dem Lincoln

Imp darauf, Metallteile von Karrengaul-Geschirren, kleine Kerzenhalter als Souvenir mit den Wappen von Seebädern in Email und ein Blasebalg in getriebenem Messing, einen Leuchtturm und ein paar Seemöwen zeigend. Die Pfannen und Töpfe und Tiegel waren untadelig. In der Spülküche lag eine besondere Fußmatte mit Kratzer: dort mußte Mr. Briant seine Schuhe ausziehen, wenn er aus dem Garten kam.

Fast alle Häuser der Goldregen-Allee hatten Fernseh-Antennen, die wie ein Wald aus modernen Skulpturen mit der Bezeichnung ›Politische Gefangene‹ auf den Dächern standen oder wie die kahlen Masten futuristischer Tanker in einem betriebsamen Hafen.

Mrs. Briant war Lehrerin gewesen und hatte ihren Mann geheiratet, weil sie verheiratet sein wollte. Sie war eine putzwütige Person aus Lancashire mit einem Anflug von Schnurrbart und einem ein wenig wilden Gesichtsausdruck, so, als könne sie jeden Augenblick aus dem Häuschen geraten. Bei Weihnachtsfeiern bildete sie das belebende Element. Mit ›komischer‹ Stimme sorgte sie für Stimmung, munterte die Teilnehmer mit schrillen Lauten auf – eine Imitation von Gracie Fields, genauso kreischend –, hieß alle sich hinsetzen oder aufstehen oder sich in Schränken verstecken oder einen Bleistift nehmen und zwölf Fische mit dem Anfangsbuchstaben ›W‹ aufzuschreiben. Hinter dieser Fassade von Freundschaftlichkeit steckte strikte Strenge. Zum Abendessen gestattete sie ihrem Gemahl eine Flasche Stout – das hielt ihn von Kneipen fern –, und kochen tat sie vorzüglich. Aus Gründen der ›Hygiene‹ jedoch mußte er in einem separaten Bette schlafen, und sie hatte ihm eingebleut, alle Mannsbilder für Bestien zu halten. Kinder hatten sie keine.

Mr. Briant – sie hatte ihn ziemlich spät geheiratet: dann nämlich, als sich erwies, daß niemand sonst verfügbar war – stellte für sie in gewisser Weise eine Quelle steter Qual dar. Er war bei der Stadtreinigung beschäftigt, und zwar in der Kanalisation. Aus diesem Grunde (er wusch sich nämlich übertrieben sorgfältig, ehe er nach Hause kam) war er sauberer als die meisten anderen in der Goldregen-Allee, aber sie ließ ihn nie vergessen, daß sie unter ihrem

Niveau geheiratet habe und daß sie eine kultivierte Person sei, deren Vater Bauer gewesen war, während ihr Ehemann sozial ganz unten stand und in der Abwasser-Kanalisation arbeitete.
Sie waren durchaus nicht unglücklich miteinander. Die meisten Ehen sind mitunter eine Hölle, wenn der Lack ab ist, doch diese beiden hatten ein sauberes, gemütliches, warmes Heim, dazu ausgezeichnetes Essen sowie eine gegenseitige Loyalität, die auf ökonomischen Grundlagen basierte.
Mr. Briant war ein untersetzter Mann, zu Kahlköpfigkeit neigend, mit dicken fuchsigen Haaren auf den Unterarmen; wenn er den Abwasch machte, trug er eine Schürze. Er hatte seine eigenen Hobbies, denen er im Schuppen am unteren Ende des Gartens nachging. Er plante ein Projekt (oder tagträumte), den Schuppen umzubauen und Brieftauben zu züchten. Auch war er Freimaurer. Samstags durfte er zu den Freimaurern gehen oder in den Kegelclub, wo auch Croquet gespielt wurde, und unter der Woche hörten sie gemeinsam Radio, wenn er nicht im Schuppen schreinerte. Er fertigte famose Hocker und verzierte Bücherregale. Bisweilen gab's eine besondere *tour-de-force*, so zum Beispiel einen Käfig für den Wellensittich seiner Schwägerin. Wenn sie Radio hörten, wünschte er oft, sie könnten Boxberichte hören, doch Mrs. Briant zog Lesungen aus Dickens vor oder eine der ›Tagebuch‹-Sendungen, die in England als endlose Serien laufen: ›Das Tagebuch einer Arzt-Frau‹ oder ›Eine Alltagsgeschichte aus dem Landleben‹. Mr. Briant wußte gut mit seinen plumpen Fingern umzugehen, auf deren unteren Partien blonde Haare sprossen, doch von seinem Kopf machte er keinen Gebrauch. Er bewunderte seine Frau ob ihres Köpfchens. In der Ehe hatte *sie* das Sagen, und das akzeptierte er, wie er auch das andere akzeptierte: ihre höhere Herkunft und ihre bessere Bildung und ihre Abneigung gegen das Kinderkriegen. Rundfunk zog sie dem Fernsehen vor.
Als sie eines Abends Radio hörten, lief im Dritten Programm eine Folge über ›imaginäre Kinder‹. Es ging um Charles Lamb, Kipling und Sir James Barrie, die alle drei über kinderlose Leute

geschrieben hatten und darüber, wie ihre Romanfiguren sich damit trösteten, daß sie von Babies tagträumten, die es nie gegeben hatte –: Mensch-Möglichkeiten.
Mrs. Briant war es, die vorschlug, sie könnten sich doch ein Baby erfinden. Anfänglich behagte ihrem Mann dieser Gedanke nicht recht, doch er hatte auch nichts dagegen, und nach einer Weile fing er sogar Feuer – mit einer für einen so vierschrötigen Mann überraschenden Phantasie. Vielleicht brauchte er einen Sohn notwendiger als er wußte.
Sie hatten also vor, sich ein Baby auszudenken, einzubilden, und sein Heranwachsen und Größerwerden von Tag zu Tag zu verfolgen, indem es Dinge und Abenteuer erlebte, die es normalerweise erleben würde, wenn es wirklich wäre: genau wie das Baby der Fortsetzungs-Serie im Radio. Beide entschieden sich für einen Buben.
Mrs. Briant war eine gründliche Frau; sie bestand darauf, das Unternehmen ganz von vorn zu beginnen. Also verkündete sie erst nach drei Monaten ihre Schwangerschaft, als sie völlig sicher war, und die ganze Zeit über bedachte sie Geschlecht und Namen und Baby-Ausstattung – rosa oder blau –, ehe sie sich entschloß, ihren Ehemann von dem zu erwartenden Nachwuchs in Kenntnis zu setzen. Jeden Abend saßen sie in der Küche vor dem Feuer und erfanden Zwischenfälle, untersuchten sie auf ihre Wahrscheinlichkeit, verwarfen einige, erfanden andere, bis Mr. Briant – als die neun Monate um waren – genauso aufgeregt war wie sie.
Die Entbindung ging normal vonstatten, und am 25. April erblickte der Bub das Licht der Welt. Sie tauften ihn Arthur, nach Mrs. Briants Vater, und Pendlebury, nach einem entfernt verwandten Vetter, der es bis zum General gebracht hatte. Es war ein kerngesundes Knäblein, wog an die acht Pfund, und Mr. Briant verwunderte sich entzückt über seine malvenfarbene Haut, seine winzigen Fältchen und die Vollkommenheit seiner Fingernägel. Als ihm die Bemerkung entschlüpfte, das Baby sei malvenfarbig, wurde Mrs. Briant wütend. Alle Babies hätten diese Farbe, sagte sie, die nichts mit Malven zu tun habe – und einen ganzen Abend

lang herrschte in der Goldregen-Allee eine angespannte Atmosphäre.
Sie waren vorbildliche Eltern: nur auf das Wohlergehen des kleinen Lebewesens bedacht, das sie miteinander gezeugt hatten; und von Anfang an waren sie entschlossen, es zu einem Erfolg werden zu lassen. Mr. Briant versagte sich die Flasche Stout zum Essen und deponierte doch wahrhaftig das Geld, das er dafür ausgegeben hätte – richtiges Geld! –, in einer Teekanne auf dem Kaminsims, um es, wann immer die Teekanne voll war, auf die Sparkasse zu bringen. Das tat er tatsächlich – nicht in der Einbildung. Mrs. Briant erwies sich als musterhafte Mutter – obzwar eine Spur betulich und übertrieben: bei einer ehemaligen Lehrerin nicht zu verwundern. Mr. Briant schalt sie häufig, weil sie den Jungen verwöhne. Alles wurde mit wahrem Fanatismus abgekocht und sterilisiert. Auch bestand sie peinlich genau auf Nahrungsaufnahme und regelmäßigem Stuhlgang, während ihr Mann murmelte, seine eigene große Familie in Southend, wo er geboren war, sei viel natürlicher großgezogen worden und ohne Verluste.
Als das Kind heranwuchs und die zahllosen Zwischenfälle und Anfechtungen der Frühzeit überlebte – das Zahnen und die Ernährungsschwierigkeiten (der Knabe weigerte sich verbissen, Gemüse oder Fett anzurühren) sowie den Tag, da er im Geräteschuppen hinfiel und sich die Stirn an einem Meißel aufriß, der unachtsam herumlag (Mr. Briant zeigte tiefe Reue) –, begannen sie, noch mehr für ihn zu sparen und auf die hohe Kante zu legen (echtes Geld), denn Mrs. Briant bestand auf einer gediegenen Erziehung. In diesem Punkt erfuhr sie von ihrem Gatten keinerlei Einspruch. Er wußte, wie wertvoll eine gute Erziehung war: er hatte tagtäglich ein Muster davon vor Augen. Außerdem liebte er seinen Sohn ebenso wie sie. Für Arthur war nur das Allerbeste gut genug.
Billard und Biertrinken und alle möglichen anderen Extravaganzen wurden aufgegeben, um den Jungen auf eine *preparatory school* (wie sie in England heißen) schicken zu können; angemessen einem Gentleman. Mrs. Briant hatte an einer *secondary school* unterrichtet, was sie dazu brachte, sich den Floh des ande-

ren Schul-Gangs ins Ohr zu setzen, statt sich vom Gegenteil zu überzeugen. In gewisser Weise war sie ein rührend unschuldiges Geschöpf. Mr. Briant, dem aus seiner Schulzeit nichts mehr in Erinnerung war, ein Mädchen mit Namen Mabel ausgenommen, akzeptierte die diesbezüglichen Informationen seiner Gattin. Immerhin fiel's ihnen nicht leicht, das Schulgeld aufzubringen. Zum Glück erwies Arthur sich als helle. Wahrscheinlich ein Erbteil seiner Mutter. Er bekam ein Stipendium am Dulwich College.

Er war helle, er war gesund (trotz der üblichen Kinderkrankheiten wie Mumps, Windpocken und dergleichen), er war glücklich, und er war (Mr. Briant's Beitrag) sportlich fit. Mrs. Briant ließ zwar nicht zu, daß er Captain des Cricket Teams wurde, doch mitspielen durfte er. Die ganzen Sommermonate hindurch hielt der Vater seinen Punkte-Stand schriftlich fest, war bekümmert, wenn er schlecht abschnitt, und erregte sich über eine Schiedsrichter-Entscheidung, wenn er ein ›Aus‹ bekam. Mrs. Briant schenkte derlei Dingen kaum Beachtung, doch freute sie sich, insgesamt gesehen, wenn sie von Erfolgen hörte.

Nicht erspart blieben ihnen die üblichen Meinungsdifferenzen. Mrs. Briant war prinzipiell gegen jedwede körperliche Bestrafung, wohingegen Mr. Briant sie befürwortete. Da er sich zu einer Züchtigung jedoch nicht überwinden konnte, gab's keine Mißhelligkeiten. Wenn Arthur sich unausstehlich benahm, was bei einem Einzelkind vielleicht natürlich war, besprachen sich die Eltern abends darüber und berieten, wie dem in Zukunft beizukommen sei.

Ein Punkt hingegen führte zu Reibereien. Mrs. Briant war streng dagegen, daß Arthur Interesse an Mädchen zeigte oder sonst etwas tat, was sich nicht schickte. Mr. Briant erhob schärfsten Einspruch: er solle kein Muttersöhnchen werden. Er sagte, alle Jungens interessierten sich für Mädchen – wie Mabel. Er sagte, jeder normale Bursch würde mal lügen und vielleicht sogar jemanden in den Po kneifen. Schließlich kamen sie zu einer gewissen Teil-Übereinstimmung: sie sorgten sich nun gemeinsam. Die

Mädchen-Frage aber blieb Anlaß für Meinungsverschiedenheiten.
Vielleicht waren's die Mädchen, die den ersten Riß hervorriefen.
Als Arthur heranwuchs und von seinen Eltern weniger abhängig wurde – der Protektion der Mutter weniger bedurfte –, schienen Mrs. Briant's Gefühle für ihn abzukühlen. Nicht, daß sie unbedingt auf die Mädchen eifersüchtig gewesen wäre. Nein, es hatte mehr den Anschein, als sei sie gegen seine Männlichkeit allgemein eingenommen. Es paßte ihr nicht, daß er ein eigenes, von ihr verschiedenes Leben führte. Sie verlor das Interesse an ihm, als er sich ihrer Protektion entzog, ja, sie fing sogar an, ihn abzulehnen – ihn vielleicht zu fürchten, weil er ein Mann war.
Mr. Briant schien ihn dafür um so mehr zu lieben.
An diesem Punkt nun fand die Harmonie der Einbildung zwischen den Eheleuten ihr Ende.
Mrs. Briant, dem maskulinen Arthur entfremdet, hörte auf, ihm Zuwendung zuteil werden zu lassen. Es lag ja in ihrer Macht, sie ihm zu versagen.
Sie erklärte ihrem Gatten, während sie in der klammen kalten Küche das Geschirr spülten, daß Tagträumen von Übel sei, wenn es zur Wunsch-Erfüllung werde. Zwar wußte er nicht, was sie damit meinte, doch fühlte er sich angegriffen und in die Defensive gedrängt, und er hielt die nasse Tasse im feuchten Geschirrtuch zwischen seinen plumpen, groben Fingern.
Sie sagte, sie bildeten sich doch bloß ein, daß Arthur helle und sportlich und tüchtig sei, weil sie es sich so wünschten. In Wirklichkeit seien aber nur wenige so. Es bedeute, die Wahrhaftigkeit ihrer Schöpfung in Frage zu stellen, wenn sie aus Arthur einen *superman* machten, der von Erfolg zu Erfolg eile, weil sie es sich nun einmal so erhofft hätten.
Mochte doch sein, daß er manchmal versagte. Vielleicht war er sogar ein fulminanter Versager.
Als Versager wäre er natürlich wieder in ihren Schutz, in ihre Obhut zurückgekehrt. Vielleicht aber war das nicht einmal ihr

Wunsch. Vielleicht fürchtete sie sich vor seinen Erfolgen – oder neidete sie ihm.
Mr. Briant mußte gezwungenermaßen einräumen, daß Menschen normalerweise keine Übermenschen seien. Auch er selber war kein Supermann. Von nun an führte er einen langen verzweifelten Kampf um Arthur, dessen weitere Entwicklung zu den schlimmsten Befürchtungen Anlaß gab.
Er besuchte London University, wieder auf Stipendium und mit Unterstützung seiner Eltern. Dort aber fing er an zu faulenzen und versagte. Mrs. Briant gab zu bedenken, daß Kinder, die allzu früh Hervorragendes leisteten, häufig zu früh ihre Fähigkeiten einbüßten. Auch äußerte sie den Verdacht, daß er endgültig in die Fänge von Mädchen gefallen sein könne. Er ließ Anzeichen von Verluderung erkennen.
Wie Arthur so vor die Hunde ging, gerieten sich die Eltern ob seiner Missetaten in die Wolle. Sie warfen sich gegenseitig falsche Erziehungsmethoden vor, ergingen sich im üblichen ›Was-gewesen-wäre-wenn‹. Die Auseinandersetzungen verliefen eigentlich einseitig, denn Mrs. Briant machte den Lärm, während ihr Gatte nur in stummer Dickköpfigkeit schmollte.
Der Junge bekam auch keine gute Stellung. Das Äußerste, was sie für ihn erreichen konnten, war ein Posten bei der Bank. Es zahlte sich übel aus. Das Unausbleibliche geschah: er unterschlug Gelder, um Pferdewetten finanzieren zu können. Mrs. Briant hatte so etwas befürchtet.
Als das Unglück endgültig hereinbrach, arbeiteten seine Eltern in dem schmalen Garten in Wembley. Mr. Briant mähte mit Akribie das akkurate Rasenstück, dreißig mal fünfzehn Fuß. Da war die Weg-Einfassung mit Alyssum-Steinkraut, waren die lächerlichen Lupinen, Wäscheleinen, Kartoffeln, Feuerbohnen, der kleine Geräteschuppen. Der Taubenschlag war niemals fertig geworden.
»Gefängnis!« rief Mr. Briant. »Unser Arthur! Er darf nicht ins Gefängnis!«
»Gott läßt Seiner nicht spotten«, sagte sie.
»Was kann er denn tun, wenn er rauskommt?«

»Wir werden umziehn müssen.«
»Aber Arthur hat doch nichts Böses gewollt.«
»Als entlassener Strafgefangener wird er keine Arbeit finden. Wir werden ihn bis ans Ende unsrer Tage ernähren müssen.«
Mr. Briant sagte: »Ich besorg ihm Arbeit bei der Kanalisation. Kann ja mal Mr. Brownlow fragen.«
»Kanalarbeiter«, sagte sie bitter. »Und dann wird er wohl eine Lehrerin heiraten – wie du.«
Mr. Briant ging zum Geräteschuppen und holte seinen Crocket-Schläger. Er schlug ihr das Hirn aus dem Schädel. Es bedurfte nur eines Klopfers. Um Arthur's willen mußte er dies tun. Zwei Versager in der Familie konnte er sich nicht leisten.

Nostradamus

Der Wahrsager Nostradamus saß in sich versunken in seinem Garten in Salon – etwa zu der Zeit, da Queen Elizabeth I. den Thron von England bestieg. Es war ein zauberhafter Garten, es war ein zauberhafter Sommerabend, und ein bezauberndes, blutjunges Mädchen kam am Tor vorüber, wobei es graziös-gesittet sein hübsches Hinterteil bewegte. Sie war auf dem Weg zum Wald, um Brennholz zu sammeln.

»Bonjour, Monsieur de Notredame.«

»Bonjour, fillette.«

Armer alter Narr, dachte sie im Vorübergehen und wedelte ein wenig wirkungsvoller. ›Kleines Mädchen‹ – daß ich nicht lache! Schließlich bin ich vierzehn. Und was weiß der schon, auch wenn er ein Hellseher sein soll, wenn er denkt, daß ich auf Brennholz aus bin. Der leibhaftige Sohn des Comte de Tende wartet auf mich bei der Köhlerhütte – mein geliebter Claude –, und ich, ich bin am Scheideweg meines Lebens.

Sie wußte, daß Claude hoffte, sie dort zu verführen, und sie mochte diesbezüglich ihre eigenen Vorstellungen haben.

Sie war braunhäutig, biegsam – kompakt, wohlentwickelt... eine Miniatur-Venus mit schimmernd schwarzem glattem Haarschopf, warmen Augen und einem entschlossenen Mund (der auf der Oberlippe einen schwachen Flaum hatte). Es waren bewegliche, wandelbare Lippen, sowohl zum Schmollen wie zum Küssen fähig, für Zärtlichkeit oder Trotz. Jede ihrer Rundungen war wohlproportioniert, obwohl sie nur einen Meter fünfzig maß. Sie war wagemutig. Sie machte den Eindruck, auf alle sich ergebenden Fragen die entsprechenden Antworten parat zu haben. Allerdings trafen sie nicht immer den Kern der Sache. Kurz: sie war ein Schatz.

Bei der Köhlerhütte wartete der Sohn des Landesherrn der Provence in poetischer Ekstase. Es waren dies die Tage von Ronsard und Clément Marot, also rezitierte er für sich die Verse von Nymphen und Musen und bedachte den trostlosen Fluß der Zeit, die jungen Leuten verhängnisvoller erscheint als den Alten, denen weniger davon bleibt. Er hatte sich vorgenommen, sie mit folgendem Sinnspruch gefügig zu machen:

›Le temps s'en va, le temps s'en va, ma dame,
Las! le temps non, mais nous, nous en allons,
Et tost serons estendus sous la lame:

Et des amours desquelles nous parlons,
Quand serons morts, n'en sera plus nouvelle:
Pour ce, aymez-moy, ce pendant qu'estes belle.‹

Er war vier Jahre älter als sie – ein Quixotischer sanfter junger Mann mit scheuen Augen und einem stark ausgeprägten Ehrgefühl. Er war sogar sanft zu Tieren (im sechzehnten Jahrhundert eine Seltenheit), und wenn es nach ihm gegangen wäre, hätte er nicht einmal eine Küchenschabe verführen können: von einer Vergewaltigung ganz zu schweigen. Was er eigentlich im Sinne hatte, war, daß er die Hoffnung hegte, sie mit äußerster Zartheit zu lieben – wenn sie ihn nur ließe.
Marie durchschaute diesen Tatbestand mit einem Blick, als sie noch etliche Schritte von der Hütte entfernt war; und dieser Umstand empörte sie, ja, stieß sie ab.
Sogleich sagte sie: »Ich fürchte, ich kann nicht lange bleiben – es wird bald Essen geben.«
»Aber Marie...«
»Ich hab keine Lust, mich betatschen zu lassen.«
»Nein«, sagte er, von Zweifeln geplagt. Er blickte zu Boden.
Sie setzten sich auf ein Reisigbündel, nebeneinander, und nahmen die Wald-Szene mit Unbehagen in Augenschein.
»Ich habe Monsieur de Notredame gesehn.«
»So?«
Nach einer Weile fügte er hinzu: »War er wohlauf?«
»Er hat mich ein kleines Mädchen genannt.«

»Und das bist du doch auch: ein geliebtes kleines Mädchen – das liebreizendste Mädchen auf der ganzen Welt.«
Dies machte Marie noch zorniger. Sie hatte ihm die beleidigende Bemerkung des Zauberers mitgeteilt, auf daß er begreife, daß sie nicht wie ein Kind behandelt zu werden wünsche. Und nun tat er genau dasselbe. Was für ein Trottel! Sie wollte keine endlosen Zitate von Ronsard, sie wollte nicht sanft und zart behandelt werden, und sie war kein kleines Mädchen – nein, das war sie *nicht*. Indessen beherrschte sie sich.
»Marie, weshalb bist du so garstig zu mir?«
»Ich bin nicht garstig.«
»Du weißt doch, daß ich dir niemals etwas zuleide tun würde. Ich täte nie etwas, das du nicht möchtest.«
Sie warf den Kopf zurück. Sie wußte es nur allzu gut.
»Ich verspreche es.«
Einfaltspinsel!
»Marie«, sagte er verzweifelt, »weshalb bist du so... so komisch? Gibst du mir einen Kuß?«
Sie hatte das Gefühl, die Dinge wendeten sich zum Besseren.
»Na schön. Aber nur einen.«
Endlich griff er nach ihrer Hand und nahm sie behutsam in den Arm, hauchte die Andeutung eines Kusses (kaum der Rede wert) auf ihre geöffneten Lippen. Aus lauter Liebe fühlte er sich innerlich hohl: wie ausgehöhlt.
»Marie«, flüsterte er. –

»Marie, levez-vous, vous estes paresseuse,
Ja la gaye alouette au ciel a fredonné,
Et ja le rossignol doucement jargonné,
Dessus l'espine assis, sa complainte amoureuse.«

Ronsard! Sie hätte ihn ohrfeigen mögen. Sie stieß ihn von sich – beließ es bei dem einen Kuß: wie angekündigt.
»Marie!«
»Monsieur de Notredame ist für sein Alter ein ganz schöner

Draufgänger«, sagte sie. »Er hat zwei Frauen gehabt, und mit der ersten hatte er zwei Kinder.«
»Tatsächlich?«
Es war zwecklos. Sie starrte auf eine vom Blitz gespaltene Eiche, ohne sie wahrzunehmen; ihr kleines Füßchen tappte aufs Moos-Polster.
»Wie hießen sie?«
Herr im Himmel, dachte sie: laß mich nicht die Geduld verlieren. Woher soll ich ihre dämlichen Namen wissen? Und was soll das überhaupt? Ihre Hände spielten im Schoß. Sie blickte auf sie nieder, hielt inne, errötete – und war selber überrascht, daß sie etwas Wohliges verspürte. Armer Claude! So sanft war er, so weich – und so heillos verwirrt.
»Du darfst mir noch einen Kuß geben.«
Er hob ihre kräftige, kleine, winzig-gefurchte Hand an die Lippen und küßte sie ergeben.
»Mein kleines Nymphlein«, sagte er. »Du brauchst dich nicht von mir küssen zu lassen, wenn's dir nicht behagt. Ich will nur das tun, was dir Vergnügen bereitet.«
»Mir macht's aber Spaß.«
»Wirklich?«
Sie nickte. Sie klimperte mit den Augenwimpern.
Er legte seine Arme um sie, umfing die schmale Taille, spürte, wie ihr Hemd sich leicht über dem bewegte, was darunter war – was bedeutete, daß nichts darunter war: nur Marie. Er fing an zu zittern. Seine Hand begab sich unbeholfen auf den Weg, tastete, berührte die Unschuld ihrer Brust. Sie schmiegte sich enger an ihn, bog sich zurück, sah ihm in die Augen, ermunterte ihn mit unmißverständlichem Wimpernflattern.
Er küßte sie mit geziemendem Anstand auf den geöffneten Mund; sein Hals bewegte sich vor, der ihre lehnte sich zurück – man hätte an ein Schwanen-Paar denken können. »Fillette!«
Das paßte ihr nun überhaupt nicht mehr ins Konzept. Offensichtlich würde sie etwas unternehmen müssen.
Er hingegen fragte sich, ob die Zeit gekommen und günstig sei,

ihren Rock ein wenig zu heben, vielleicht zwei Finger breit, gar übers Knie hinauf? Die Rede ging, daß man die Brust eines weiblichen Wesens eine Zeitlang tätscheln müsse, ehe man sich tiefer wagte. Er entschied sich für den Busen und begann mit der Liebkosung – was sich indes *so* ausnahm, als kraule er einen Hund hinterm Ohr, um ihm Behagen und Wohlgefühl zu vermitteln... und mit derselben Intention. Er ahnte nicht, daß ihr das noch mehr Langeweile verursachte als ihm selbst.

Marie legte ihm die Arme um den Hals, um ihre Brüste zu recken, und streckte ihre Beine wie eine Katze, um den Rock in die Höhe zu schieben. Gedankenverloren zerrte er ihn wieder hinab.

Nun merkte sie endgültig, daß es hoffnungslos mit ihm war, und sie entschied, daß sie ihm tatkräftig zu Hilfe kommen müsse. Ohne jede Unbeholfenheit erhob sie sich mit einer einzigen schwungvollen Bewegung und setzte sich ihm auf den Schoß. Ihre Arme, inbrünstig um seinen Nacken geschlungen, machten das Atmen beschwerlich. Er betatschte ihren Po (ihr Kopf lag auf seiner Schulter) – ungefähr so, wie man ein Baby beklopft, damit es sein ›Bäuerchen‹ mache. Mit gepreßter Stimme sagte er: »Mein kleines Mädchen!«

»Liebst du mich, mein sanfter Claude?«

Es gelang ihm, dies zu bejahen. Sie gab ihm etwas mehr Spielraum. Nach einem Weilchen sagte er: »Marie, dieser Reisighaufen ist ja doch ein bißchen unbequem.«

Das war er in der Tat: er drückte ihm ein Flechtmuster von starren Zweigen in den Rücken, und er hatte das Gefühl, daß ihm – mit der zusätzlichen Bedrängnis – ein Aststock oder Splitter in die linke Hinterbacke gestochen habe.

Sie standen auf und legten sich aufs weiche Moos. Seit' bei Seite, Angesicht zu Angesicht. Er nahm mannhaft allen Mut zusammen und hob ihren Rock, ohne auf Widerstand zu stoßen. Ihre mit lieblichen Fältchen versehenen Knie (die sie zusammenpreßte, auf daß sie auseinander gezwungen würden) erfüllten ihn mit überwältigendem Entzücken. Er streichelte sie behutsam, und seine Hände begannen zu lernen.

Marie erwähnte unbedachterweise, was von ihrem Begehren ablenken und das erwünschte Geschehen verhindern konnte. »Ich liebe Gedichte.«
»Wahrhaftig?«
Sie nickte und blinzelte kokett.
Und – grundgütiger Gott –: er legte wieder los: mit Clément Marots *Epistre au Roy, pour avoir esté dérobé* (130 Zeilen)!
Sie sprang auf, sie beschimpfte ihn barsch, sie wünschte ihn zum Teufel, sie brach in Tränen aus. Fassungslos stand er vor ihr, mit ausgebreiteten Armen, entschuldigte sich, fragte, was er falsch gemacht habe – und versicherte ihr, es sei ihm nie und nimmer in den Sinn gekommen, sie im mindesten verführen zu wollen. Erbost schickte sie ihn fort. Sie sah ihm nach – verstimmt, verdutzt und verzweifelt –, wie er sich in den Wald davonmachte. Sie setzte sich auf das Reisigbündel und schluchzte.
Einer der Bauernburschen, der den verfahrenen Vorgang mit Interesse aus der Köhlerhütte verfolgt hatte, öffnete die Tür und kam heraus. Er packte Marie am Handgelenk, verdrehte ihr den Arm, schob sie vor sich her in die Hütte und schloß die Tür. Keiner sprach ein Wort.
Eine knappe Stunde nach ihrer Begegnung mit Nostradamus kam sie wieder an dessen Haus vorüber – diesmal mit einem kaum wahrnehmbaren Hinken.
Gesittet sagte sie: »Bonjour, Monsieur de Notredame.«
»Bonjour, petite femme«, erwiderte der Philosoph versonnen.

Keine Gratifikationen

Ach, werter Herr, es war ein überaus prachtvolles Bauwerk! Der Turm war dreihundert Fuß hoch! Zweimal ist er eingestürzt! ›Gotischer Stil‹, verstehen Sie, ähnlich unsern alten Abteien und ähnlich herrschaftlichen Gebäuden. So was von Geschmack, von Flair, von Imagination! Nur beim Fundament, da hat man was übersehn–: man hat es glatt vergessen. 1801 ist's eingestürzt, 1825 noch mal, zum letzten Mal. Viele Besucher haben gemeint (wie Sie ja auch), es sei eines Vathek würdig – bei dessen Palast, wie Sie sich erinnern werden, ein Turm mit fünfzehnhundert Treppenstufen war, durch einen unterirdischen Gang mit dem Bau verbunden! Danke ergebenst, ja, ein Glas trink' ich noch mit. Nicht, daß die Touristen in Fonthill immer willkommen gewesen wären, nein, ganz im Gegenteil! Gestatten Sie mir, auf Mrs.... auf Ihre Frau Gemahlin mein Glas zu erheben? Ach, Sie sind nicht verheiratet? War Mr. Beckford auch nicht. Das heißt: im Grunde war er seit vielen Jahren Witwer. Und dann der Skandal, hui! Jawohl. Aber'n sehr interessanter Gentleman, muß ich schon sagen; interessant und *unkonventionell,* wenn man so sagen darf. Mit allem Respekt. Hab' stets den allergrößten Respekt vor Mr. Beckford gehabt. Konnt' man gar nicht umhin. Diese kompakte Gestalt, die blitzenden Augen, die klassisch-proportionierten Gliedmaßen – wenn auch im Verlauf der Jahre etwas steif geworden –, und seine Lippen, werter Herr: die waren wie *Würmer*!
Jawohl. Touristen waren nicht immer gern gesehn im heulenden Wind, den stürmischen Wolken und der tiefen Dunkelheit unserer Abtei – in die gelegentlich ein Mondstrahl fiel oder ein bleiches Wachslicht. Düsternis, wie's Mr. Walpole genannt hat. Nicht, daß Mr. Beckford und Mr. Walpole unbedingt auf bestem Fuße miteinander gestanden hätten... es herrschte eine gewisse Kühle zwischen ihnen: wie's so ist, wenn man dem gleichen Gewerbe nachgeht – ich meine ihre Romane.
Touristen wurden sehr ungern gesehn, jawohl. Was *so* weit ging,

daß unser Kalif sich der Mühe unterzog, eine Mauer ums Grundstück zu errichten, die er die ›Chinesische Mauer‹ zu nennen beliebte. Sie hatte eine Ausdehnung von sieben Meilen, war zwölf Fuß hoch und wurde von einem *cheval de frise* gekrönt: ein formidables Hindernis, fürwahr.
In mir, werter Herr, erblicken Sie einen Bekannten jenes berühmten Einsiedlers – so man's ›Bekanntschaft‹ nennen darf. Doch, so darf man's nennen, jawohl. Unsere Beziehung mag ungewöhnlich gewesen sein, aber sie war ziemlich eng... die kurze Zeit, die's dauerte; und ich bewahre ein Bild des interessanten Mannes in mir, das die Zeit nicht auslöschen kann – bis der grimmige Sensenmann zur Ernte schreitet und alles Erinnern niedermäht und ein leeres Stoppelfeld übrigläßt...
Er war eher klein von Statur, in grünem Rock mit Messingknöpfen, Leder-Breeches und Langschäftern; und sein Haar war gepudert.
Unsre Begegnung war nicht konventionell, nicht in dem Sinne, in dem der Begriff meist angewendet wird. Ich war damals ein junger Spring-ins-Feld, werter Herr, und ein ganz schöner Draufgänger! Die Gerüchte um Fonthill Splendour, wie wir's in Bath bisweilen titulierten, die Berichte über seinen sonderbarlichen Abt, der seine Schätze wie ein orientalischer Drache vor den Augen der Öffentlichkeit hütete und bewachte, die Geschichten um die dort verborgenen unvorstellbaren Kostbarkeiten, um den Park – der als wahres Paradies bezeichnet wurde, dessen Teiche von Wassergeflügel wimmelten, der eine Straße hatte, die sich dreißig Meilen lang durch geheimnisvolle Täler schlängelte –: all das war unerreichbar für uns, hat uns aber freilich fasziniert. Im Gestrüpp waren Selbstschüsse versteckt und Fußangeln und Menschenfallen von unfaßlicher Grausamkeit. Sie säbelten einem die Beine weg, wie Pinchbeck's Patent-Schneuzscheren Kerzendochte abschnibbeln. Hat mir Mr. Beckford persönlich erzählt.
Ich hab eine ganz schöne Summe gewettet, Herr... Herr, daß ich mal in dem Garten spazierengehen würde, jawohl, sogar in die Abtei reinkäm'. Für Mr. Beckford war ich 'n Fremder, werter Herr,

als ich die Wette einging, aber ich bin sie eingegangen. Unverschämtheit der Jugend, vielleicht, *nicht* das Betragen eines Gentleman – mögen Sie denken –, aber die Jugend steckt nun mal voller Neugier. Ich bin von Natur aus wißbegierig veranlagt.

Habe so manch angstvolle Stunde verbracht, werter Herr, und das große Tor in der enormen Mauer beobachtet und gehofft, es möcht' durch irgendeine Unachtsamkeit mal unbewacht sein. Die Gitterstäbe waren spitz, und dann: meine Strümpfe! Aber eines Tages kam dann doch der ersehnte Augenblick. Der Pförtner war krank, und seine Frau machte einem Händler auf, der seine Waren im Pförtnerhaus ließ (kein Metzger oder Bäcker durfte in die Abtei rein) und wegging; das Tor blieb offen, weil er wohl gedacht hat, die Frau würd's hinter ihm zumachen. Schnell wie der Blitz war ich durch, und drin.

Der Park war prachtvoll: wunderhübsche Bäume und Sträucher, und die ganze Anlage, und fünf Meilen lang! Hier und da begegnete ich einer zahmen Hasen-Familie, die Mr. Beckford in Futter hielt, und Fasanen und Rebhühnern, und schließlich kam ich an einen zauberhaft romantischen See, richtig durchsichtig, wie flüssiger Chrysolith, und ganz voller Wasservögel.

Bin ziemlich vorsichtig rumgegangen, will ich ja zugeben. Kein Kläffen von Kötern, kein Trappeln von Pferden hinterm Fuchs her, kein Ballern von Sportschützen durfte das Heiligtum entweihen. Die Ruhe des geheiligten Geländes, wo Lärchen gepflanzt waren, Rot-Tannen, Föhren und noch seltenere Bäume aus fernen Ländern – für die wurde schon von den Selbstschüssen gesorgt, und ich hab mir manches Gebüsch genau angekuckt, und an vielen bin ich von fern vorbeigekommen, und dabei bin ich so was wie *geschlurft*, wenn ich's so bezeichnen darf, weil ich mir gesagt hab, daß ich bei dieser Art von Fortbewegung die geringste Gefahr laufe, in eine Falle zu geraten.

Draufgänger, jawohl, aber nicht besonders mutig. Würden Sie mich als ängstlich kennzeichnen, Herr... Herr? Jawohl: würden Sie – ängstlich und geschwätzig, vielleicht, gleichwohl nicht ohne Augenblicke der Unbesonnenheit. Bedauerliche Augenblicke.

Schließlich und endlich gelangte ich zu den Gärten – als Wegweiser nahm ich den Turm von Beckford's Folly –, und weil ich den Eingang nicht finden konnte, lehnte ich mich auf eine niedrige Mauer, die den Garten vom Park trennt, und konnt mich nicht sattsehn an den Herrlichkeiten – die Beete standen in voller Blüte–, da kam ein Mann mit einem Gartengerät auf mich zu (war vielleicht der Obergärtner) und fragte mich, wie ich hier reinkäme und was ich suchte?

Das war ein Schreck! Ich hatte gehofft, unbemerkt zu bleiben. Auf dem Gelände waren jede Menge Arbeiter zugange, unter denen ich überhaupt nicht aufgefallen wär. Ein Eindringling, werter Herr, *innerhalb* der entsetzlichen Mauer, die mich jetzt drinnen genauso gefangenhielt, wie sie mich draußen ausgesperrt hatte, und nun von einer Autoritäts-Person angesprochen, die meine Verkleidung... mein Versteckspiel durchschaut hatte, hui!

»Das ist *so*«, stammelte ich, »das Tor in der Mauer stand offen, und weil ich schon soviel von dem herrlichen Park gehört hatte, hab ich mir gedacht, ich tät' ihn gern mal ansehn.«

»Soso«, sagte der Gärtner. »Täten Sie gern, wie? Na ja, von dort aus können Sie wenig sehen. Meinen Sie, Sie könnten über die Mauer springen? Können Sie's: zeige ich Ihnen die Gärten.«

Ich hab über die Mauer gekuckt, und da habe ich so'n regelrechtes Hindernis gesehn – in Form eines tiefen Grabens, auf der andern Seite –, daß ich mich doch gefragt habe, wieso der mir einen solchen Vorschlag macht.

»Ah ja, habe den Grenzgraben vergessen. Da gehen Sie zur Pforte. Paar hundert Schritt zur Rechten finden Sie sie, und ich werde Sie einlassen.«

Weshalb hatte der mich aufgefordert, in den Graben zu springen? Den Hals hätt' ich mir brechen können!

Werd Sie nicht mit einer Beschreibung dieser wundervollen Anlagen molestieren, werter Herr, durch die mich der Gärtner dann führte: die riesigen Gewächshäuser, die orientalischen Blumen, die exotischen Früchte aus andern Ländern! Besonders, weil ich kein Botaniker bin. Ich hab alles bloß verständnislos angegafft,

während der Mann mir die verschiedenen Raritäten aufzählte und auch die lateinischen Namen nannte und manchmal ihre orientalischen. Es war ein überwältigendes Spektakel – aber gleichzeitig kriegte ich langsam so 'n ungutes Gefühl. Nichts von Wichtigkeit, werter Herr, aber als Gentleman werden Sie mich schon verstehn. Die Gesamtsumme der Barschaft in meinen Taschen belief sich auf einen Florin. Dieser entgegenkommende und augenscheinlich höchst gebildete Obergärtner würde zweifellos einen Obolus erwarten – eine Gratifikation, wie man's heutzutage wohl heißt, oder, vulgär ausgedrückt, ein Trinkgeld –, und mir wurde zunehmend unwohler bei dem Gedanken, wie er einen derart lächerlichen Betrag aufnehmen würde! Zwei Shillings, Herr... Herr, sind wohl kaum ein angemessenes Entgelt für einen Cicerone, der lateinisch spricht! Hab mehr als einmal meine Taschen durchsucht (ohne Aufmerksamkeit oder Verdacht zu erregen), fand indes nur ein kleines Notizbüchlein, das ich stets bei mir trage – erwog, es ihm als Erinnerungsstück zu offerieren, hielt's dann aber doch für unpassend und nahm Abstand davon. Außerdem hatte er selber ein Notizbuch. Er konsultierte es in meiner Gegenwart: auf der Suche nach dem wissenschaftlichen Namen einer Myrthe, aus Powderham importiert, erinnere ich mich, erzählte er mir – was auch immer das sein mag.
»Und nun«, sagte mein Führer, »möchten Sie wohl gerne das Haus sehn? Es beherbergt einige Schätze – seltene Gemälde und dergleichen. Verstehen Sie etwas von Gemälden?«
»Ich denke schon«, entgegnete ich, vielleicht irrigerweise, »und natürlich möchte ich vor allem diejenigen sehn, von denen ich schon soviel gehört habe. Sind Sie aber auch sicher, daß Sie nicht mit Mr. Beckford Ärger kriegen? Unannehmlichkeiten? Er soll ziemlich eigen sein.«
»Aber nein«, sagte der Gärtner. »Mr. Beckford wird schon nichts dagegen haben. Ich kenne ihn zeit meines Lebens, und er läßt mir ziemlich freie Hand.«
»Dann wäre ich Ihnen sehr zu Dank verpflichtet.«
Ich hatte meine Wette gewonnen!

Aber, werter Herr... Herr... Jones? Danke. – Ach, werter Herr Jones, wie gering kommt mir dieser Gewinn heute vor, verglichen mit den Wunderbarkeiten, die ich jetzt erblicken sollte! Sie sind ein kultivierter Mann, Mr. Smith, jawohl, seh ich Ihren Augen an. Die Schilderung des Innern muß einen regelrecht aufwühlen, muß das kälteste Blut in Wallung bringen! *The Octagon Chamber*, der Acht-Eck-Saal, ursprünglich als Kapelle intendiert: ein Raum von überwältigenden 128 Fuß Höhe bei einem Durchmesser von 30! Der *Western Yellow Withdrawing Room* – ein Rückziehempfangssalon ganz in Gelb! St. Michael's Galerie! Der Große Speise-Saal, in dem ständig ein gewaltiges Kaminfeuer brannte; doch war's zu kalt, um dort zu dinieren –: Mr. Beckford mußte im Eichenzimmer speisen, von der Küche, zu allem Unglück, am weitesten entfernt. Die zahllosen Räume waren samt und sonders perfekt möbliert und eingerichtet: einer mit Mineralien, inklusive Edelsteinen: ein anderer mit den herrlichsten Gemälden: der nächste mit italienischen Broncen, Porzellanen und so fort und weiter! Schließlich gelangten wir zu einer Galerie, die alles vorangegangene an Pracht und Fülle der Ausstattung übertraf. Sie schien durch eine scharlachne Portière abgeteilt, von einer Bronce-Statue gehalten, irgendwie... Doch mein Führer stampfte mit dem Fuß auf, rief: »Öffne dich!« – und die Statue wich zurück, so daß durch die Portièren die Galerie zu sehen war: in einer Länge von 350 Fuß!
Nun fing ich bei kleinem an, meine frühere Behauptung zu bedauern, Conoisseur von Gemälden oder Bildwerken zu sein. Mein Führer zeigte mir die Prachtstücke der Sammlung: die ›Heilige Katharina‹, gemalt von Blunderbussiana in Venedig; den ›Dogen‹ von Zuckerwasser in Wien; die ›Zigeunerin‹ von Aldrovandus; und ›Die Fünfte Plage Ägyptens‹ von Watersouchy aus Amsterdam! Stumm stand ich da, andächtig, zollte dem Geschmack des Sammlers Achtung und Anerkennung, und baß erstaunte mich die Information meines Führers, daß sein persönliches Lieblingsbild unter all diesen Meisterwerken der weltberühmte ›Raphael‹ des Og of Basan sei.

»Ei, meiner Treu«, sagte er, »um fünfe ist's! Verspüren Sie nicht Appetit? Sie müssen bleiben und einen kleinen Imbiß mit mir nehmen.«
Jawohl, Mr. Brown: Sie haben's erraten. Kein anderer war's. Mir hat's die Sprache verschlagen.
Mr. Beckford führte mich von Zimmer zu Zimmer zurück, unterwegens die Vorzüge und Reize der Räume preisend: die unzählbaren Türen aus lila Samt mit Purpur- und Goldstickerei: die exquisiten Pretiosen, Broschen, Medaillons, emaillierten Miniaturen, Figurinen: Zeichnungen, alt und modern: Rüstungen, Kuriositäten, Drucke, Handschriften, Autographen: allerlei auf den Kaminen der Wohnräume mit ihren vergoldeten Filigran-Basketts voll parfümierter Kohle: den Musizier-Salon und die Kapelle, wo, auf dem Altar, goldne Kerzenleuchter *en masse* standen sowie Vasen und mit Juwelen reich besetzte Abendmahlskelche. Spiegel gab es keine. Mr. Beckford erklärte mir freundlicherweise, der weise Magier Athelrepo dulde nur kabbalistische Spiegel. Weshalb, hat er nicht erklärt.
Was für eine Geschichte konnte ich jetzt meinen Leuten in Bath erzählen! Dieser Charme, diese Zuvorkommenheit meines Gastgebers, gepaart mit schrecklicher Contenance und... eben schwer zu beschreiben, werter Herr. Sein Gesicht war wie eine Maske, Mr. Jones, eine Cupido-Maske: mit glattem Teint, gebogenen Brauen, markanter Nase, überaus rosigen Lippen. Er sprach in vornehmster Distinktion, mit leiser und zugleich durchdringender Stimme, und seine Informationen zu jedem Stück waren schier unerschöpflich. Wie völlig anders als das Ungeheuer, das uns die unwissende Welt von ihm malt: Touristenschreck *et cetera*. Jedes Wort, das von seinen Lippen fiel, war Salbung der Seele. Seine Behandlung des ungebetenen Gastes war die höchste Blüte der Zuvorkommenheit. Das Essen war magnifizent!
Weine erlesenster Lagen und Jahrgänge, Herr... Herr, Delikatessen, dargeboten auf feinstem Geschirr – aber noch erlesener war die Konversation des Einsiedlers: mit ihren Mönchen, Nonnen, zerfallenen Zinnen, Geheimgängen, Gruften, Banditti, Abgrün-

den, verfallenden Gräbern, umher-irrenden Phantomen, verlassenen Gebäudekomplexen, dachlosen Durchgängen, Fledermäusen, Vampiren, bedrohlichen Klippen und Klüften, tönenden Glocken und artifiziellen Ruinen, angepinselt mit geronnenem Blut! Er sprach, unter anderm, von ›den fleischlosen Kiefern und leeren Augenhöhlen eines Skeletts mit Eremiten-Kapuze‹. Es war in irgendeinem Schloß... ging auf ›o‹ aus. Hat mir von den üblen Banketts erzählt, an denen er teilnahm, wo die Venezianer-Gläser Sprünge kriegten, wenn der vergiftete Wein hineinzischte. Hat so entsetzliche Sachen erzählt, daß er beim Erzählen zitterte, und jeder Nerv zuckte ihm. Mir war völlig wirr im Kopfe! Von Mr. Beckfords faktischen Erinnerungen ist mir nur wenig innerlich geblieben, muß ich zu meinem Bedauern gestehn. Die Weine, der Weihrauch, das gedämpfte Licht, bei dem er diese Feinschmecker-Fleischspeisen zu sich zu nehmen liebte, die Musik des verborgenen Orchesters und das Erscheinen einer gewissen Zahl von Zwergen und italienischen Edelleuten – falls nicht von jedem bloß ein einziger aufgetreten sein sollte –: dies alles trug dazu bei, meine Aufmerksamkeit abzulenken, und ich habe verabsäumt, genaueres in mein Memoranden-Heft zu notieren. Ich erinnere mich, daß er mir erzählte, er habe die Weise von *Non Piu Andrai* inventiert und dem Komponisten Mozart präsentiert; und vom Architekten Le Doux sei er, in einer geschlossenen Kalesche, auf verschlungenen Pfaden, zu Cagliostro im Tempel der Illuminati gebracht worden. Bei anderer Gelegenheit errang er im *Jardins du Roi* die Zuneigung einer launisch-lüsternen Löwin, durfte zu jeder Tageszeit den Käfig betreten, um ihre Liebkosungen zu empfangen, was ihn innert vierzehn Tagen zum Tages-Thema von Paris gemacht... – Viel sprach er von Zuneigung, und mehr als einmal gab er mir die Ehre, meine Hand zu drücken.

Ich war ein junger Mann, Mr. Smith, und vollkommen fasziniert von seiner... Herablassung. Es verlautete, er habe den Prinzregenten zu Basingstoke abgewiesen und sich auch geweigert, ihn in Fonthill zu empfangen, nachdem er sich bereits auf dem Wege befunden... – und da breitete er vor *mir*, einem anonymen Ein-

dringling, die Schätze seines Intellektes aus! In diesem selbigten Palast hatte er den unsterblichen Nelson und dessen Lady Hamilton empfangen – bei welcher Gelegenheit das Musik-Korps der Fonthill-Freiwilligen vor der Cortège ›Rule Britannia‹ spielte; ein *feu-de-joi* wurde abgebrannt, und als Abschluß folgte ›God Save the King‹. Hier, in genau diesem Park, zu jenem Anlaß, haben die Freiwilligen die Avenues gesäumt, jeder mit seinem *flambeau*, während die Trommelwirbel von den umliegenden Hügeln widerhallten und Lady Hamilton sich ›in Szene setzte‹.
Nicht, daß Mr. Beckford unbedingt freundlich von Lady Hamilton gesprochen hätte. Nein, er schien einen Groll gegens Feminine zu hegen, wenn ich mich so ausdrücken darf... natürlich mit Ausnahme der Nonnen nebst den andern Heroinen, die in den Geschichten, die er mir erzählte, ständig von Vampiren in den subterranen Gängen verfolgt wurden. Ein gefühlvoller Mann, Sir, auch wenn seine Verehrung gegenüber Lady Hamiltons ›Attitüde‹ eher kritisch war, und er bat mich herzlich, über Nacht zu bleiben.
Er bat mich inständig, und ich fühlte mich durch die Invitation geehrt, aber – so erklärte ich ihm... Er hat die Erklärung nicht zur Kenntnis genommen. Obwohl er im Grunde ein enthaltsamer Mensch war, leerte er noch einen letzten Humpen des gewürzten Weins und legte mit einer ziemlich verzwickt-verworrenen Geschichte von einer Familie namens Courtenay los, deren Wahlspruch lautete: *Ubi Lapsus? Quid Feci?* – was er mir wiederholte. Die Würmer seiner Amor-Bögen wanden sich, als er ihn übersetzte: *What's wrong? What have I done? – Was ist verkehrt? Was habe ich getan?* – Er vergrub den gepuderten Kopf in seine kleinen weißen Hände.
Ich erklärte ihm mit einiger Emotion, daß unsere Philosophische Gesellschaft zu Bath, der als Sekretär anzugehören ich die Ehre hätte... Er hörte einfach nicht hin. Ich war bestürzt und entsetzt zugleich, werter Mr. Green, als ich bemerkte, daß doch tatsächlich Tränen in den Juwelen-geschmückten Kelch zwischen seinen Ellbogen träufelten.
Die Louis-Quatorze-Uhr auf dem Kaminsims schlug elf, die Ker-

zen tropften. Endlich riß Mr. Beckford sich zusammen und äußerte, mich mit durchbohrenden Blicken fixierend: »Nicht mal ein Tier versteht mich.« Unter Entschuldigungen hob er die Tafel auf und verließ das Zimmer.

Ich saß im Halbdunkel des ausladenden Speise-Salons, Mr. Jones, indes mein Schatten über die Trophäen an den Wänden huschte. Ich zermarterte mir das Hirn ob des unerklärlichen Ausbruchs (wie ich dies noch heute tu) und bedachte gleichzeitig die Entfernung von Bath und betastete den Florin, der meine einzige Barschaft darstellte. Da also saß ich und wartete, und das Licht wurde dämmriger, und die Uhr tickte. Ich zog meinen Stuhl ans niederbrennende Feuer, um die Rückkehr meines Gastgebers abzuwarten. Die Zeit schien ohne Ende, und möglicherweise bin ich auch eingenickt.

Als ich wach wurde, lag der Raum fast völlig im Finstern, und ein feierlicher Lakai, livriert und gepudert, war dabei, die letzte Kerze zu löschen.

»Wo ist Mr. Beckford?«

»Mr. Beckford hat sich zu Bett begeben«, sagte der Mann und machte sie aus.

Die Tür des Speisesaals stand offen; aus der Halle drang gedämpftes Licht herein.

»Das ist aber sehr sonderbar«, sagte ich. »Ich dachte, Mr. Beckford käme wieder? Ich wollte mich für seine Gastfreundschaft bedanken.«

Ich stand auf und folgte ihm in den Vorraum.

»Mr. Beckford«, sagte der Funktionär, als er die schweren Portièren der Außentür öffnete, »trug mir auf, Ihnen seine besten Empfehlungen auszurichten, Sir, und Ihnen zu übermitteln: Da Sie ohne Unterstützung in Fonthill Abbey eingedrungen seien, müßte es Ihnen auch möglich sein, alleine wieder nach draußen zu gelangen. Und er gibt der Hoffnung Ausdruck, Sie möchten sich vor den scharfen Bluthunden vorsehn, die nächtens im Garten von der Leine sind. Ich wünsche Ihnen einen guten Abend.

Nein, danke, Sir –: Mr. Beckford gestattet keine Gratifikationen.«

Der Maharadschah

Der Maharadschah kaufte selten etwas einzeln. Sogar seine Rolls-Royces legte er sich gewöhnlich gleich im halben Dutzend zu.
Er war ein kleiner, charmanter, rundlich-dicker Mann mit galligen toffee-farbenen Augen (denen eines Hundes nicht unähnlich) und dicken, braunen, seidenweichen Fingern – zarthäutig und gefältelt–, in die kostbare Ringe eingelassen waren. Wenn er schwitzte, schwitzte er am ganzen Körper, und seine Baby-Haut sonderte einen sanften, unaufdringlichen Tau ab. Seine Kleidung saß ihm wie angegossen. Stets sah alles aus wie neu. Seine Jodhpurs waren fleckenlos, und seine Schuhe schienen geradeswegs aus einem Schaufenster zu stammen – dazu noch von einem ergebenen Diener geduldig-hingabevoll gewienert. Seine makellosen Seidenhemden wechselte er dreimal täglich. Er hatte vierundzwanzig Schweinslederkoffer voller Kristall-Flacons mit goldenen Stöpseln. Für die Haare nahm er Rowland's Macassar-Öl, und seine Taschentücher parfümierte er mit Eau-de-Cologne. Er bewegte sich behende, knippste behende sein goldenes Feuerzeug an (das nie versagte), um die Zigaretten seiner Gäste anzuzünden, und war der geborne Reiter, Golf- und Cricket-Spieler – mit einem Wort: Harrow-and-Cambridge. Er gehörte nicht zu den größeren Radschahs, von denen man sagte, sie besäßen Swimming-Pools voller Perlen und Diamanten; immerhin verfügte er über genügend Juwelen, um eine normale Badewanne bis zu den Wasserhähnen zu füllen. Er beherrschte die Disziplinen Wintersport, *chemin-de-fer* und Tigerjagd vom Elefanten aus. Auf einem Auge schielte er ein wenig, und auf dem Rücken seiner Stupsnase hatte er einen blauen Fleck: wie von Schießpulver. Er war um die fünfzig. Wenn er seinen Turban absetzte, sah man, daß seine Haare grob strähnig waren, wie Roßhaar. Die Maharani, seine zweite Frau, war ein junges Ding von siebenundzwanzig, gelernte Stenotypistin, Tochter gutbürgerlicher Eltern aus Seattle. Geheiratet hatte sie ihn wegen des ganzen Drumherums und Brimboriums;

wegen des aufwendigen Reichtums und deshalb, weil sie glaubte, daß es in Indien wie in 1001 Nacht zugehe. Sie war anämisch, unordentlich und feministisch angehaucht. Das Leben im Harem hatte sie mehr oder weniger geschockt und betäubt, doch gelang es ihr nicht, es gelassen hinzunehmen. Außerdem war sie in anderen Umständen.

Sie war aus dem Gleichgewicht geraten, hatte die Balance verloren; und beide haßten einander bis auf den Tod.

Jetzt, da der romantische Teil der Heirat abgeschlossen war, verachtete und fürchtete sie ihn: aus sexuellen Gründen, wegen seiner Hautfarbe, wegen seines leichten Cardamom-Geruchs, weil er sie nicht ›respektierte‹, weil er ihr Herr und Gebieter war... und überhaupt wegen all seiner (ihr so erscheinenden) orientalischen Unarten. Es schauderte sie, wenn seine braunen Hände sie anrührten. Er, seinerseits, haßte sie aus verletzter und mißachteter Männlichkeit. Auch deshalb, weil sie ihn erniedrigte.

Er hätte sie, und ihre ganze Familie als Dreingabe, siebzigmal aufkaufen können. Seine Macht, im Verhältnis zu ihrer, war unbegrenzt. Aber er war braun. Auch seine Badewanne voller Juwelen, sein Harrow-and-Cambridge, auch sein altes Geschlecht (verglichen mit ihrer kleinkarierten Herkunft) – all dies konnte die Antipathie ihrer Hautfarben nicht kompensieren.

Ursprünglich hatte sie ihn keineswegs demütigen wollen. Sie hatte es einfach getan. Das unwillkürliche Erschaudern in ihrem Blick verletzte seine Virilität tiefer als jede beabsichtigte Beleidigung.

Mit ihm verglichen, war sie ohne jede Bedeutung, was Status und Herkunft und Kultur anging. Doch mehrere hundert Jahre lang hatten die Weißen regiert und auf die Farbigen herabgeblickt, dergestalt ein Welt-Klima der Überlegenheit herstellend. Seine Seele litt gleich der ihren unter dieser unentrinnbaren, ungerechten, globalen Prämisse. Tatsächlich wähnte sie sich ihm überlegen: im Osten eine unverzeihbare Situation zwischen Mann und Frau. Am schlimmsten aber war, daß sie sich von ihm abgestoßen fühlte, was hinwiederum seinen Körper schrumpfen und verdorren ließ.

Dr. Arbuthnot wurde 1938 aus Bombay herbeigerufen, um die Maharani bei ihrer Niederkunft zu betreuen.
Nach den tag- und nacht-langen Meilen in dem schmierigen Eisenbahnwaggon; mit lauwarmem, sandigem Wasser und den nicht-funktionierenden Ventilatoren und den Gaze-Gittern, die Fleisch-Safes darzustellen schienen; nach den Fliegen und dem Gestank; nach der endlosen Wüstenfahrt von der Bahnstation aus (im Rolls-Royce Nr. 6, der güldene Wasserhähnchen für längst eingeschmortes und verkrustetes Rosen-Öl hatte); nach der sengenden Sonne und dem Schmutz und dem Safran-Geruch des Bazars – wurde er zum Tor des Palasts befördert, wo berittene Posten in wilder Aufmachung (die gefärbten Bärte in Frauen-Haarnetzen gebändigt) mit Krummschwertern salutierten.
Der Palast war 1873 entstanden. Sein Erbauer – einer jener von Kipling besungenen, von den Engländern erzogenen und von John Stewart Mill liberalisierten, der König-Kaiserin ergebenen Radschahs – hatte einen erstklassigen victorianischen Architekten beauftragt, einen Experten in ›gotischen‹ Wasserspielen und Irrenanstalten aus rotem Ziegelgemäuer. Unglücklicherweise war's ein betagter Architekt. Kurz zuvor hatte er eine junge Frau geehelicht, und sein ›Nachsommer‹ erwies sich als außerordentlich knospig und sprossend. In den Wasserspielen, im Irrenhaus, in den ›gotischen‹ Stütz- und Strebe-Pfeilern und in den Ziegeln, die sowohl blau als auch rot waren, durchsetzt mit eingebrannten Fliesen, hatte seine erotisierte Phantasie verschiedenerlei miteinander vermengt: den Brighton Pavillon, die Höhle Ali Babas sowie diverse stolze Prunk-und-Pracht-Bauten nach Art des Harun al Raschid. Dies einerseits, um seine Hoch-Zeit zu zelebrieren, und andererseits als Zeugnis für seine Emanzipierung von der durch den Stil der Strafgebäude inspirierten architektürlichen Strenge und Starrheit. Kurz darauf war er an Erschöpfung gestorben. Die Hervorbringung seines Hirns – in einiger Hinsicht einem französischen Bahnhof nicht unähnlich – stand in einem Park, dem die Hoffnung anzumerken war, daß er aussehe, als sei er von Capability Brown angelegt worden. Aber es war eine Landschaft aus Pi-

pals (heiligen Bo-Bäumen) und Neems (Margosa = indischer Zedrach oder Paternosterbaum) und Banyan-Bäumen und Pisang-Bananen und Frangipani; und die Fauna bestand nicht aus englischen Rotwildrudeln und Rinderherden, sondern aus angeketteten Tschitahs (Geparden) und Kampf-Elefanten in riesigen Ställen und Cobras anstelle von Karnickeln im kümmernden Kraut. Wo Brown vielleicht einen Palladio-Tempel als Blickfang errichtet hätte, lag ein geschwärzter Fleck im Hügelland, wo Ziegen abgeschlachtet wurden.
Dr. Arbuthnot war kein brillanter Arzt. Eher gehörte er zu denen, die sich in den Kolonien herumtrieben. Er hätte auch Hauptmann beim R.A.M.C. sein können, dem brit. Royal Army Medical Corps, oder Leichenbeschauer oder Polizei-Medicus oder irgend etwas Regierungs-Beamtetes. Aber er war freundlich, wohlmeinend und umgänglich und seiner Aufgabe gewachsen. Hinterher sagten manche, der Maharadschah habe ihn ausgewählt, weil er dumm war. Das stimmt nicht. Vielleicht war er nicht außergewöhnlich, so doch schlau, und dazu besaß er die verschlagene Zähigkeit eines Schotten aus dem Unterland. Er hielt regelmäßig Praxis, verteidigte seine Mußestunden so gut wie möglich und trank im Byculla-Club mit gleichmütiger Jovialität sein Abend-Gläschen.
Der Maharadschah ließ ihm die Ehre angedeihen, ihn im Echo-Saal zu empfangen, der gußeiserne Säulen in Palmen-Form hatte und eine große Anzahl ausgestopfter Tiger in naturgemäßer Gruppierung.
»Mein lieber Freund, wie gütig von Ihnen, sich hierher zu bemühen! Und in dieser Hitze! Ich möchte doch sehr hoffen, daß Sie eine gute Reise hatten? Diese scheußliche Eisenbahn! Wie steht's in der Presidency? Wie geht's dem guten alten Malabar Hill?«
Der Doktor, mit besorgten und überschwänglichen Ehemännern vertraut, sagte nur: »*How do you do*, Eure Hoheit?«
»Sie müssen sich sogleich Ihre Zimmer zeigen lassen. Sie werden sich ›die Hände waschen‹ wollen, wie? Eine anstrengende Fahrt. Sie müssen ›die Schäden reparieren‹, Doktor, ehe wir unser ›Entgegenkommen mißbrauchen‹.«

»Eure Hoheit sind furchtbar freundlich.«
»Ich habe Ihnen die Ost-Terrasse herrichten lassen. Dort ist ein kleiner Pavillon, mein Lieber, im Stil schottischer Edelleute, ganz nach Ihrem Herzen. Nur zwei Räume, bedauerlicherweise, doch völlig für Sie allein. ›Osten – Westen: zu Haus ist's am besten.‹ Wir möchten, daß Sie sich wie daheim fühlen: Herr über Ihr eignes kleines Reich sind. Nur ein Wohnzimmer und ein Schlafzimmer, natürlich auch eine Küche. Die Diener werden Ihnen alles bringen, was Sie brauchen.«
Die Marmor-Terrasse senkte sich in Stufen zu einem quadratischen Weiher, in dessen Mitte die Statue von Lord Curzon stand. Die Rasenflächen, von den Bhisties (Wasserträgern), zerbrechlichen Gerippen in sauberen Linnen, täglich zweimal gewässert, waren, wie durch ein Wunder, grün. Auf dem Dach (oder Topfdekkel) des schottischen Pavillons bewegte eine Pfauen-Henne ihren Kopf ruckend von Nord nach Süd. Die Wasserhähne im Bad funktionierten, wie gewohnt, nicht.
Dr. Arbuthnot sagte zu dem Khitmagar: »*Pani lao*« – und richtete sich häuslich ein.

Das Erdgeschoß des Palasts war weder europäisch noch asiatisch. Jede Art von *bijouterie* oder *objet* oder Schnick-Schnack kollidierte mit jeder anderen Sorte und Größe von kitschigem Krimskrams. Tigerfelle und Louis-XVI-Stühle und Schnupfdosen und Modelleisenbahnen; Rembrandts und Landseers und Drucke aus *La Vie Parisienne*; Messing-Figuren und Buddhas; Kristall-Lüster und rosafarbene Gas-Kandelaber; überwältigende von Elefanten getragene Throne und Silber-*épergnes* in Form des Tadsch-Mahal oder des Euston-Bahnhof-Gebäudes; absolut leere Räume, aus irgendeinem unerfindlichen Grunde vergessen, und Räume, vollgepackt mit ungeöffneten Kisten von *Fortnum & Mason's* oder *Rowland Ward's*; blitzende Arsenale mit an die hundert verschiedenen Waffen und Gewehren und marmorne Ballsäle mit Filigran-Bögen und Perlmutt-Inkrustierungen; ein Palmenhof mit kupfernen Spucknäpfen; Spuren jeder Stilrichtung seit Queen Victoria, aus

allen Ecken und Enden der Welt; Masken aus Tibet, musizierende Zigarrenbehälter aus Paris, Elfenbein-Modelle des *Crystal Palace*, runde Lederschilde mit vier Messing-Buckeln und Stierhaaren darauf, *assegais*, Bumerangs, Ritterrüstungen, Kudu-Gehörne, Kollektionen von Zigarettenbildchen, Croquet-Schläger, *kukris*; exquisite Brokatstoffe und Eingeborenen-Stickereien und Saris und *gold-lamé* und Balmoral-Tartans; Alabaster-Statuen der Psyche und einzeln angefertigte, mit Juwelen eingelegte Kühlschränke; Ruder aus Cambridge-Colleges, mit den Namen der Ruderer in Goldschrift auf den Blättern; Polo-Schläger, Kavallerie-Lanzen, Golf-Schirme, Hunderte von Ferngläsern und Maschinen zur Herstellung von *ice-cream* und *soda-water* oder handgedrehten Zigaretten; ein ausgestopftes Rhinozeros in voller Größe; flüsternde Megaphone und Telephone und gewaltige Radio-Phono-Geräte und ein Tape-Recorder; eine Bibliothek, deren in Leder gebundene Bücher Attrappen waren, dafür aber eine gutbestückte Cocktail-Bar hinter sich verbargen; Aubusson-Teppiche und Perser und Axminster, sämtlich mit Leintüchern abgedeckt; gewirkte *punkahs* (Zimmerfächer) und elektrische Ventilatoren und eine Klima-Anlage, die nicht funktionierte; tiefe Ledersessel im Rauch-Salon wie in einem Londoner Club, Barock-Gestühl, fragile blattvergoldete Ball-Sitzchen, geschnitzte Stühle aus Teakholz, Roßhaar-Sofas, Diwane, Fauteuils, Kanapees, Schaukelstühle, Elfenbein-Hocker, eine für Georg IV. gefertigte Kommode, sowie Sitzgelegenheiten aus Bambus mit Liegestützen für die Füße der Benutzer und Löchern für sein *chota*-Glas –: alles war sauber, gepflegt, entstaubt, gegen Insekten geschützt und, sofern mechanisch, meist nicht funktionsfähig.
In den oberen Geschossen umfing einen der Orient mit betäubenden Duftwolken.
Hier herrschte geheimnisvolle Stille: dick-dichte Teppiche und künstliche Beleuchtung verschwiegener Gänge – stumm abgeschirmt durch grünen Flanell-Flies. Hier war der Frauen-Teil des Hauses, *purdah* genannt; hier wurden Schlüssel benötigt, Finger an die Lippen gelegt; Türen öffneten und schlossen sich, Fuß-

Schritte blieben geräuschlos, verborgene Augen beobachteten, Ohren horchten heimlich.
In ihrem (von Heal's eingerichteten) Schlafgemach lag die Maharani, das Gesicht zur Wand gekehrt.
»Meine Liebe: hier ist Dr. Arbuthnot, von dem ich dir erzählt habe. Ein richtiger Doktor-Arzt aus der Presidency! Ein Weißer, durch und durch!«
Abweisend bewegte sie ihren Kopf auf dem Kissen, ohne sich umzusehn. Die *ayah*, neben dem Bette nähend, stand wortlos auf und ging hinaus.
»Dr. Arbuthnot wird bald den Ursachen all dieser unerquicklichen Symptome ›auf die Spur kommen‹: des bin ich sicher.«
Ihre schlaffe Hand, Innenfläche auf der Überdecke, regte sich geringfügig.
»Wir müssen unsre Hoffnung in den Doktor setzen, meine Liebe – den Wundern europäischer Wissenschaft vertraun.«
Arbuthnot beobachtete sein dickliches Gesicht, fragte sich, ob er dort – in den schwarzen, leicht schrägen Augen – eine Andeutung zu finden vermöchte: von Liebe oder Wut, Haß oder Verachtung, von Geringschätzung oder flehentlicher Erwartung. Doch als ihre Blicke sich begegneten, entdeckte er nur Höflichkeit. Der Maharadschah zuckte mit den Schultern: ausweichend und um Nachsicht bittend. ›Frauen‹, schien er ausdrücken zu wollen. ›Sie wissen schon...‹
Schweigend verschwand er. Mochte er auch häßlich sein – ein Herrscher war er ohne Zweifel. In seinem Staat übte er beträchtliche Macht aus. Der taubengraue Anzug aus der Savile Row vermochte nicht ganz eine gewisse Größe zu verdecken, eine Würde, gar *grandeur* – in Savile Row nicht käuflich. Es verstand sich fast von selbst, ihn mit ›Eure Hoheit‹ anzureden.
Die Maharani erwies sich als schwierige Patientin. Zwar ließ sie sich untersuchen, doch ohne jede Anteilnahme oder Mitarbeit, schwer wie ein Klotz, jede Antwort verweigernd. Von ihrem Zustand abgesehen, der ziemlich fortgeschritten war, war sie dünn und zerbrechlich. Die Pigmentierung war ihrem Zustand entspre-

chend, doch schien sie eine periphere Neuritis zu haben. Ob sie wohl trank? Hysterie? Diese *memsahibs*, dachte er, die sich kaffeefarbene Potentaten aufgabelten und dann entdeckten, daß sie sich in einer anderen Welt befanden, die sie haßten, nicht ertragen konnten! Wie scheußlich schwierig mußte es sein, unbewußt in einem unbekannten, unverständlichen, fremden, sogar feindlichen Unterbewußtsein einzutauchen – einem Subkontinent anderer Geisteshaltung –, seelisch niederzutauchen, sozusagen, in die unergründliche Seele Indiens. Kein Wunder, daß sie sich bisweilen dem Trunk ergaben.
Da stand er nun, betrachtete sie mit schottischer Empfindsamkeit, nagte an seiner Unterlippe. Arme Frau! Es war schon schlimm, in Indien zu leben, exiliert von den *bannocks*, den schottischen Mehlkuchen der Lothians, auch im Bereich britischer Clubs. Ohne ein weißes Gesicht um sich her, umgeben von vollkommen Fremden; ohne Berührung mit den gewohnten Sitten, Bräuchen, Neigungen, Institutionen und Denkweisen. Da konnte man gleich einen Goldfisch in Meerwasser stecken.
Ihre Entgegnungen beschränkten sich auf Kopfschütteln oder Nikken.
Nur einmal sagte sie etwas, furchtsam-verärgert.
»Sie horchen.«

Niemand hätte freundlicher, leutseliger sein können als der Maharadschah. Er schien an Dr. Arbuthnot Gefallen zu finden und es darauf anzulegen, ihn für sich einzunehmen. Jeden Abend stand im Pavillon eine frische Flasche Haig's Whisky auf dem Nachttisch, und jeden Abend kam eine Einladung zum Essen: übermittelt auf goldgesprenkeltem rosafarbenem Papier. In den Briefkopf war das königliche Wappen mit seinen (überdachte Sitze tragenden) Elefanten geprägt. Der Wahlspruch lautete: ›Durch Weisheit und Stärke‹.
»Sie waren in Edinburgh, Doktor? Ich war in Cambridge. Herrliche Zeiten, herrliche Universität! Die glücklichsten Tage meines Lebens, sage ich immer. Bestimmt haben Sie Cricket gespielt?«

»Maharadschah: meist haben wir Bier getrunken.«
»Bier. Gewiß doch. Der Wein der britischen Inseln. Vielleicht wäre Ihnen Bier lieber als dieser Champagner? Natürlich wär's Ihnen lieber! Wie gedankenlos von mir. Wir haben immer ausgezeichnetes Lager-Bier auf Eis.«
Ein paar Augenblicke später schenkte es der Butler ein – ohne daß Seine Hoheit ein Zeichen gegeben hätte.
»Und was halten Sie von meinem kleinen Frauchen?«
»Ihre Hoheit sind bekümmert, verständlicherweise. Jede Frau reagiert im Zustand der Schwangerschaft anders. Sie ist nervlich belastet. Wir müssen sie zu Kräften bringen.«
»Dies ständige Erbrechen, Doktor: Ist das ›Morgen-Malheur‹ im vorgeschrittenen Stadium üblich?«
»In manchen Fällen kommt es durchaus auch dann noch vor.«
»Vielleicht würden Sie ihre Symptome als ›hysterisch‹ bezeichnen?«
Dr. Arbuthnot räusperte sich.
»Die Maharani«, insistierte sein Gastgeber, »ist eine starke Persönlichkeit. Wir lieben einander. Vielleicht ist sie zu phantasievoll? Vielleicht fühlt sie sich in diesem etwas wilden Land nicht recht wohl? Wir müssen ›alle zusammenstehn‹, um ihren nervlichen Zustand zu bessern. Aber *Sie* sind's, Dr. Arbuthnot, auf den wir uns verlassen, sie ›durchzubringen‹.«
Eine silberne Eisenbahn fuhr, von Weingeist angetrieben, nach dem Essen den Portwein um den Tisch. Der Doktor betrachtete sie nachdenklich und zerbröckelte sein Brot. Er wollte Eindruck machen. Er wollte *wirken*: die typische Arzt-Attitüde am Krankenbett. Er wollte eine gute ›Show abziehen‹ und gleichzeitig seiner Patientin nach bestem Vermögen helfen. Aber er war aufrichtig; dazu vorsichtig.
»Wir sind einander treu ergeben«, betonte der Maharadschah. »Es war eine ›Liebes-Heirat‹ auf den ersten Blick. Herrliches Seattle! Damals hieß der Berg dort ›Olympus‹, aber wie ich hörte, hat man ihn umbenannt. Ich wäre verzweifelt, völlig *bouleversé*, wenn der Maharani etwas zustieße.«

Mit blitzenden Fingern drehte er den Stiel seines Weinglases. »Aber einfallsreich. Sie ist umwerfend einfallsreich, Dr. Arbuthnot.«

Abends, wenn er allein auf der Terrasse saß, an seinem Whisky nippte und die fliegenden Hunde in den Mangobäumen beobachtete, machte der Doktor sich so seine Gedanken über die Patientin. Er versuchte, sich ihr Leben vorzustellen: als junges Mädchen, in einer Welt der *drug stores* und *ball games* und *dates* und der ›*Daughters of the American Revolution*‹ – oder war's der Ku-Klux-Klan? Wie andersartig, wie verschieden war jene aseptische Welt der Zahnpasta und sterilisierten Milch und des zellophanverpackten Gemüses und, ja, auch der plump-oberflächlichen Beurteilung – von dieser Fäulnis und Wildheit und gleichzeitig geradezu perfekten Verfeinerung Indiens! Was für ein gewaltiger Schritt von den ›*Neighbourhood Societies*‹ und ›*Ladies Bridge Clubs*‹ zum weiblichen Intrigen-Spiel der *purdah* und der Mandelaugen, die insgeheim scharfäugig auf der Lauer lagen. War es einem Goldfisch überhaupt möglich, in Meerwasser zu leben? Wie konnte ein ›Zahnpasta-Mensch‹ die blutig-roten Betel-Kau-Schlunde der Dienstboten ertragen, sobald sie den Mund aufmachten? Wie konnte sie, Jahr auf Jahr und Monat auf Monat und Woche auf Woche, es hier aushalten: unter Speisen, Gerüchen, Temperaturen, Feuchtigkeit, Geräuschen, Gedanken, Bewegungen, Stille, klingelnden Arm- und Fußreifen, nackten Füßen, Körperregungen, Geisteshaltungen, Dreck, Fliegen, Gefahren, Gelüsten, Grausamkeiten, Gemeinsamkeiten, Freundlichkeit, Einsicht und Konvention – die den ihren samt und sonders unvertraut, unverständlich: un-heimlich waren? Ach ja, das arme kleine Mädchen, dachte er seufzend inmitten der Glühwürmchen, bei der halbleeren Whiskyflasche, und träumte von Schottland: seinen *highlands* und *lowlands*, seinen Festtagen und Liedern, seinen Dichtern und Sängern.

Bei Staats-Banketten, wenn zwanzig oder dreißig Personen zu Tische kamen und der Maharadschah sie, unter dem Kronleuchter stehend, begrüßte (wobei er seinen berühmten Smaragd und einen Federbusch auf dem weißen Atlas-Turban trug), saß Arbuthnot an keinem bevorzugten Platz. Häufig indessen dinierten sie *tête-à-tête.*

»In Ihrem Beruf, Doktor, gewöhnt man sich an den Tod. Ein ›Berufs-Risiko‹, sozusagen, bei dem man sich eine dicke Haut zulegen muß. Wir in Indien sind auch an ihn gewöhnt, und er kommt so schnell. So viele Menschen sterben hier, unter so vielen hundert Millionen. Wir schwärmen wie die Fliegen – und sterben wie sie. Leichen im Ganges, brennende *ghats,* Geier über den Türmen des Schweigens: wir sind an die Messer Shivas, des Zerstörers, gewöhnt. –

Aber ich bin ein entgegenkommender Mensch, Doktor, von Natur aus mitfühlend. All diese ausgestopften Tiere hier im Palast und die Juwelen und Pretiosen und Waffen – die haben meinem Vater gehört. Er war ›aus der Alten Schule‹, ein ›*chip off the old block*‹. Ich persönlich werde das Jagen wohl überhaupt aufgeben, sogar die Tiger-Jagd. Nur wenige Tiger sind wirklich gefährlich, arme Viecher. Nur ein kranker und alter Tiger, vielleicht von verfaulenden Zähnen wahnsinnig gemacht oder zu gebrechlich und schwach für seine natürliche Beute, wird unter Umständen zum ›*man-eater*‹. Außerdem liegt's in ihrem Wesen. Wir alle müssen die Fakten der Natur anerkennen – meinen Sie nicht auch? –

Im Grunde finde ich Tiger äußerst anziehend, Dr. Arbuthnot.«

Eines Abends stand ein schweinsledernes Reisenecessaire im Pavillon. Neugierig machte er es auf. Haarbürste und Kamm, Rasierapparat, Seifenschale, Handspiegel, dazu diverse Flacons für Haar-Öl oder Astringentien: alles war – ob Griff oder Rand, Rükken oder Stöpsel – vergoldet. Jedes Stück trug seine Initialen: J. R. A. Bedauernd schloß er das Etui.

Irgendwie kommt es einer Bestechung gleich, dachte er. Solch kostbare Präsente sollte ich nicht annehmen.

»Maharadschah, Sie dürfen mir wirklich nicht solche aufwendigen Geschenke wie das Necessaire machen. Eure Hoheit werden mit etlichen *lakhs* Rupien für meine Liquidation rechnen müssen. Die Rechnung dürfte auch ohne die zusätzlichen Gratifikationen hinreichend hoch ausfallen.«
»Mein guter Arbuthnot. Ich habe Dutzende solcher Necessaires. Außerdem ist das Ihre bereits mit Monogramm versehn. Sie müssen mir schon den Gefallen tun und derartige kleine Beweise ›unserer Wertschätzung‹ annehmen. Besonders Ihre Hoheit bestehen darauf.«
»Ihre Hoheit...«
»Aber-aber! Sie würden uns beleidigen, wenn Sie diesem ›geschenkten Gaul ins Maul‹ schauen wollten.«
Schließlich sei der Doktor doch Schotte, fügte er wohlgesetzt hinzu.
»Ich hab's mir zur Regel gemacht, Sir, von Patienten keine Präsente anzunehmen. Derlei Prinzipien sind im medizinischen Berufe unabdinglich. Ich bin sicher, Eure Hoheit werden diese verstehn und mir verzeihn.«
Die scharfblickenden Augen bewölkten sich kurz, so, als wollten sie die Lage abwägen und zu einer Beurteilung kommen. Die dickliche Hand machte eine abwertende Bewegung.
»Ganz nach Belieben.«
»Eine naturgemäße Dankbarkeit...« begann der Doktor unbeholfen.
Der Maharadschah indessen war schon wieder die Liebenswürdigkeit in Person. »Wir sind Ihnen zu Dank verpflichtet, Arbuthnot, dem ehrenwerten Nord-Bretonen. Wie selten fühlt ein Inder sich aus Skrupeln heraus verpflichtet, eine Gabe zurückzuweisen! Sie können sich kaum vorstellen, von welcher Habgier – nein: Käuflichkeit – ich umgeben bin. Erst heute morgen mußte ich feststellen, daß mein Premierminister, der Dewan, mit dem Siegel des Palasts Geschäfte macht!«
»Eine Geste der Wohltätigkeit...«
»Nein, wirklich«, konstatierte der Maharadschah, »daran mangelt

es uns, in Mutter Indien, seit der großen Zeit des Raj. Ich will nicht verhehlen, Arbuthnot, daß wir Prinzen keineswegs den Wunsch haben, der britischen Herrschaft ledig zu sein. Ein Schade wär's und eine Schande, ja, geradezu ein Verrat. Hier im Palast erinnern wir uns noch der Tage meines Großvaters, da Ihr geschätzter Resident, Mr. Wilson, so etwas wie ein ›Landesvater‹ für uns war. Das war ein Mann, Arbuthnot; ›ein Kerl wie eine Eiche‹. Fleißig, unbestechlich, selbstlos, nur auf das Wohlergehen des Staats bedacht. Und Lord Curzon: auch der war solch ein Mann. In einem der Weiher haben wir noch eine Statue von ihm. So gebieterisch, so würdevoll! Könnten Sie sich Lord Curzon als Siegel-Mißbraucher vorstellen? – Nein, nein. ›Verruchter Gedanke!‹ Ich bin ein aufrichtiger Mensch, durch und durch aufrichtig, und ich kann's dem großen Vizekönig nachempfinden. Außerdem werden die vizeköniglichen Initialen nie graviert. Sie lauten O. H. M. S. (On His/Her Majesty's Service).«
Nach dem Essen war das Necessaire aus dem Pavillon verschwunden. An seiner Statt befand sich ein Saffian-Etui mit dem prinzlichen Wappen darauf und einem Ring mit Solitär-Diamant darin, vieltausendmal wertvoller.
Der Doktor ließ das Geschenk ohne Kommentar zurückgehen.
Am folgenden Abend wurde er zum Essen geladen.

Er beschäftigte sich mit den Symptomen, wie es Art ehrlicher Ärzte ist. Er war kein brillanter Diagnostiker. Chronische Gastro-Enteritis nebst Hyperemesis gravidarum? Verdauungsbeschwerden und cyanotischer Blut-Andrang mit Gesichts-Ödemen? Konnte Durchfall die Schwangerschaft komplizieren?
Die Maharani wimmerte und weinte lautlos; die Tränen rannen ihr aus den äußeren Augenwinkeln. Sie hielt seine Hand in der ihren, die dünn und fleckig war. Sie umfaßte sie.
Während sie zudrückte, glitten ihre geschwollenen Augen zur Seite, waren plötzlich lebhaft, flink, wach, voller Bedeutung. Ihr Blick glitt zum Fenstervorhang und kehrte zurück.
Er ging zum Fenster und zog den Vorhang beiseite.

Dahinter stand die *ayah*, reglos, die Handflächen aneinandergepreßt (wie Ritter in voller Rüstung auf den Grabmälern von Kathedralen), und verbeugte sich mit gesenkten Lidern. Das Stirn-Kennzeichen ihrer Kaste war ihr die Nase heruntergelaufen, die einen Ring trug. Ohne einen Laut verließ sie den Raum.

»Soll ich das *so* verstehen«, sagte der Maharadschah, »daß meine Frau etwas gegen die Dienerschaft hat? Kann man's, mein Bester, unter ihren Umständen nicht allzu gut verstehn?«

Er hatte seine schlechte Laune abgelegt und eine Parade oder *gymkhana* abgenommen – ein öffentliches Sportfest veranstaltet–, wohl in der Absicht, dem Doktor zu imponieren.
Nach der Gluthitze des Mittags – in der Fata Morganen über die Ebene geisterten und eilfertige Eidechsen mit klopfender Kehle wie gelähmt an staubigen Steinen klebten – paradierte die prinzliche Brigade an der Tribüne vorüber, wo der Maharadschah stand: drei Schritt vor seinen Gästen, angetan mit einem Pickelhelm samt Pferdeschweif sowie der Schärpe seines Standes. Der englische Brigadier im Kampfanzug, ein Söldner; die motorisierte Kompanie, adrett und hervorragend gedrillt, die Gewehrläufe zum Salut gesenkt; die Infanterie in ihren neumodischen Berets mit den Insignien des Staates; die *lancers*, barbarisch anzuschaun, klingend, mit flatternden Wimpeln, schäumenden Pferdemäulern und wehenden Mähnen –: diese Privat-Armee marschierte mit einer Exaktheit vorüber, die auch den britischen Truppen zur Ehre gereicht haben würde. Den Höhepunkt, vor Sonnenuntergang, bildete eine Kavallerie-Attacke, die vom entgegengesetzten Ende des Polo-Feldes her direkt zur Tribüne führte: mit Trommelwirbeln dröhnender Hufe, im Staub aufblitzenden Rüstungen, wütend gefletschten Zähnen und wild geweiteten Augen – bis sich, im allerletzten Augenblick, da die Zuschauer schon dem Tod geweiht schienen, die Schwadron nach links und rechts vor dem salutierenden Maharadschah teilte.
Er war mit sich und seinem Aufgebot zufrieden.

Zum Dämmerschoppen hob er einen Humpen mit Brandy und Champagner, wobei er den Doktor fixierend ins Auge faßte.
»Sie sehen, Arbuthnot: wir Prinzen sind auch jetzt noch nicht ganz am Ende. Wir haben immer noch – wie soll ich's nennen? – Spuren von Macht.«
»Eure Hoheit haben eine prachtvolle Truppe.«
»Ich hatte stets einen Hang zur Macht. Vielleicht kommt es daher, weil ich ›in Purpur geboren‹ bin. Meine Vorfahren verfügten natürlich über absolute Macht: die Macht über Leben und Tod. Leider ist das heutzutage weitgehend abhanden gekommen. Würden Sie's glauben? Die in meinem eigenen Staat verhängten Todesurteile können in Delhi angefochten und gar aufgehoben werden. –
Andererseits kommt der Tod in Indien oft plötzlich und unerklärlich. Die Untersuchungen unserer Leichenbeschauer, Arbuthnot, dürften europäischem Standard kaum entsprechen. –
Haben Sie bemerkt«, fuhr der Prinz fort, »daß die *pundits*, die brahmanischen Gelehrten, immer die Aphorismen dieses oder jenen Lords über die Macht zitieren? ›Jede Macht korrumpiert – absolute Macht korrumpiert absolut.‹ Es scheint ihnen einige Genugtuung zu verschaffen, dies auf Hitler anzuwenden.«
»Es war Lord Acton.«
»In der Tat. Und schenken Sie diesem Aphorismus Glauben, Doktor?«
»Nuuun...«
»Ich nicht. Nie und nimmer. Schließlich ist der menschlichen Rasse Macht über die Tiere gegeben. Sie sind Engländer, mein guter Freund, oder sagen wir: Schotte, und bestimmt haben Sie in Ihrem schönen Haus in Bombay einen Spaniel oder sonst einen Hund. Sie haben absolute Macht und Gewalt über das Geschöpf. Doch hat Sie das korrumpiert? Quälen Sie es? Lassen Sie es verhungern? Nehmen Sie ihm nach Lust und Laune das Leben? Nein, nein, mein Bester: ich bin sicher, daß Sie ihn ausgezeichnet behandeln und daß Sie dadurch mitnichten korrumpiert, sondern geadelt werden. –

Die Geschichte selbst lehrt uns die Dümmlichkeit von Lord Actons verallgemeinernder Aussage. War Kaiser Augustus korrupt? War's Louis XIV., *le roi soleil*? Und doch war ihre Macht absolut. Niemand durfte ihnen ›Widerpart bieten‹.«

»In diesem Zusammenhang, Maharadschah, fällt mir der Diktator von Portugal ein...«

»Genau. Ein ›prächtiger Kerl‹.«

Er hob den silbernen Humpen, außen vom eiskalten Champagner beschlagen, und nahm ihn, mit auf die Seite gelegtem Kopf, sorgsam in Augenschein.

»Ich bin ein guter Kerl, Dr. Arbuthnot«, sagte er, »aber ich habe nun mal einen Hang zur Macht. Nicht, daß ich sie mißbrauchen würde: kein Gedanke! Doch es ist etwas dran, an der Macht, meinen Sie nicht?«

Nach dem Essen fand ein Zapfenstreich mit Fackeln statt. Die Gäste – britische Beamte, indische Politiker und Abgesandte amerikanischer Firmen – waren mit stark duftenden Gebinden aus Dotterblumen und Jasmin bekränzt. Der Geruch vom Holzrauch der Feuer und von dem Pech der Fackeln vermischte sich mit dem durchdringenden Duft der Blüten. Die Schoten der *lebbek*-Bäume, die unsichtbar überall auf dem Polo-Feld lagen, klapperten in der Abendbrise. Sturmlaternen leuchteten im Umkreis, ähnlich einem Landeplatz für Nachtflugzeuge. Im Geviert der tanzenden Tupfer führte eine berittene Abteilung ihre musikalischen Künste mit Fackeln vor, während die königliche Kapelle, mit Federbüschen und Epauletten reich verziert, ihre eigene Version der ›Lily of Laguna‹ zum besten gab. Die Zimbeln klangen, die Brustpanzer klirrten, und die edlen Rosse warfen in Zug und Gegenzug ihre stolzen Häupter. Sie waren mit prächtigen Martingalen angetan.

Dann fand das Zeltpflock-Stechen statt.

Die Pflöcke waren mit paraffingetränkten Lappen umwickelt und flammten in der würzigen Dunkelheit. Die dunkelgesichtigen Ritter, riesig auf ihren schwarzen Rossen, kamen mit Donner und

Braus aus der Nacht, die Lanzen eingelegt, mit roten Augenlöchern, knirschenden Sätteln und klingelnden Steigbügeln. Einen Augenblick lang tauchten sie als Silhouetten in Prunk und Pracht vor dem Feuer auf, Hufeisen dröhnten über den bebenden Boden, und schon schossen sie vorüber: der brennende Pflock flog in einem Bogen von hinten auf der Speerspitze empor. »Hay!« scholl es triumphierend, als die Dunkelheit sie wieder verschlang, die Lanzen mit den flammenden Pflöcken hoch zu Häupten, während von den Zuschauern beifälliges Händeklatschen erklang.
»Sauber«, sagte der Maharadschah. »Ich mag nun einmal alles, was sauber ›über die Bühne geht‹.«

Im Krankenzimmer untersuchte Dr. Arbuthnot am nächsten Morgen die Vorhänge und Verstecke. Dann setzte er sich ans Bett.
»Maharani...«
»Bitte, nennen Sie mich nicht so. Wenn Sie wüßten, wie ich das hasse!«
Er wußte nicht weiter.
»Ich heiße Joyce. Joyce Neuberger, um genau zu sein.« Sie bewegte ihren Kopf auf dem Kissen, Tränen hinterließen feuchte Spuren, und ganz plötzlich begann sie, von Schluchzern unterbrochen, zu sprechen.
»Seit sieben Jahren hat mich keiner Joyce genannt. Niemand liebt mich. Keinem kann ich traun. Maharani dieses, Eure Hoheit jenes. Sie hassen mich. Sie sind abscheulich. Ich möcht sie allesamt umbringen. Er nennt mich ›Flamme der Finsternis‹! Aber er haßt mich auch; und ich ihn. Dieser dreckige Nigger! Ich könnt' Ihnen was erzählen... Sie würden's nicht glauben... die tun Sie auch nicht respektieren, Doktor, die Eingeborenen. Die haben keine Ahnung vom *American Way of Life*.«
Er klappste ihr besänftigend auf die Hand.
»Hab getan, was ich konnte, Doktor. Ich glaub, ich war zu jung zum Heiraten, als sie mich verheiratet haben. Aber ich hab getan, was ich konnt.«

»Der Maharadschah liebt Sie, ohne Zweifel.«
»Noch mal. *Was?*«
»Seine Hoheit spricht mit großer Zuneigung von Ihnen.«
Sie hob den Kopf und sah ihn mit wirklicher Überraschung an. Jetzt ließ sie sich wieder auf das feuchte Linnen fallen, drehte sich zur Wand, versank neuerlich in Schweigen. Puls, Thermometer, Stethoskop: das waren Rituale, die sie gleichmütig über sich ergehen ließ; ihre Augen waren, abwesend, auf einen Punkt an der Tapete gerichtet. Er saß am Bett, stumm wie sie, und klopfte sich mit dem Ohrknopf des Stethoskops gegen die Zähne.
»Joyce«, sagte er schließlich. »Sie müssen sich schon ein bißchen zusammennehmen, sonst werden Sie ernsthaft krank. Kein Mensch haßt Sie. Solche Einbildungen müssen Sie sich aus dem Kopf schlagen. Ich weiß: es ist schwer, unter Fremden zu leben; aber Sie müssen an das Baby denken. Sie werden doch nicht wollen, daß Ihrem Baby etwas zustößt – dem nächsten Maharadschah? Nein, nicht wahr? Joyce?«
Sie gab keine Antwort.

Seine Hoheit schien nach dem Essen aufgeräumter Laune und wollte sich seinem Spielzeug widmen. Gemeinsam setzten sie die silberne Eisenbahn in Bewegung und brachten den Portwein in Umlauf: immer um die Tafel herum, alkoholische Dünste verströmend, bis das Tischtuch Feuer fing. Sie löschten es mit Port.
Mit dem Dewan und dem Brigadier und dem British Resident schlenderten sie durch die Räume mit dem *piano nobile,* wobei der Maharadschah seine mechanischen Merkwürdigkeiten erklärte und ihnen einen Vortrag über den Fortschritt der Wissenschaft hielt. Über einen Phonographen mit einem Blechtrichter in Schneckenform sang Dame Nellie Melba ›Ave Maria‹. Hiernach berichtete ihnen ein Radiogramm ungewöhnlichen Ausmaßes, dessen Füße aus Tigertatzen gefertigt waren, die Nachrichten des Tages auf hindustani. Sie zündeten Gas-Kandelaber an, die noch funktionierten, und setzten das Flutlicht der Garten-

Springbrunnen in Betrieb, die abgestellt waren. Zigarrenkisten spielten ihnen Menuetts vor; Telephone läuteten in entfernten Ställen, so daß Seine Hoheit unnötige Erkundigungen über Leinsamen-Maische einziehen konnte; eine Victrola spielte Mendelssohns ›Frühlingslied‹; eine erstaunliche Vorrichtung in einer großen Vitrine voller Kesselpauken und Trompeten ließ ›1812‹ mit allem Brimborium ablaufen; ein Brief wurde auf Band diktiert, um am folgenden Morgen transkribiert zu werden; ein verworrenes Telegramm wurde per Summer an den fernen Bahnhof durchgegeben – wo es den Beamten aufweckte, der es falsch aufnahm.
»Die Wunder der Wissenschaft«, sagte der Maharadschah. »Welche Veränderungen haben wir im Verlauf unseres eigenen Lebens mit angesehn, welche ›Fortschritte menschlichen Geistes‹! Erinnern Sie mich daran, ein größeres Flugzeug zu bestellen, Dewan. Hätten Sie gern ein Luftgeschwader, Brigadier, zur Verstärkung der Truppe – oder fürchten Sie, unsere wohlmögenden Freunde in Delhi könnten etwas dagegen haben?«
Nachdem die anderen Experten entlassen worden waren, bestanden Seine Hoheit auf einem Nacht-Trunk mit dem Leibarzt. Sie saßen im Rauchsalon, umgeben von Poloschlägern und Photographien beziehungsweise Stammbäumen von Pferden, wozu das Selters-Wasser Billionen von Bläschen in den bernsteinfarbenen Gläsern aufsteigen ließ.
»Eine solche Unmenge Unterhaltung! Wie recht doch unser größter Dichter hat, wenn er singt: ›Schwer ruht das Haupt, das eine Krone drückt.‹ Sie mögen mich bedauern, Doktor, aber von den vierundzwanzig Stunden eines vollen Tages bleibt mir selten eine Viertelstunde für mich. Familienleben? Sosehr ich meine Familie liebe, sosehr wir Hindus unserm Familien-Ideal und der Heiligkeit des Weiblichen huldigen, der Zeugung des Lebens als gebenedeiter Notwendigkeit – so wenig Zeit bleibt mir für die angenehmeren Seiten des Daseins, an denen mein Herz eigentlich hängt. Mondschein in Seattle! Das warme Pulsieren einer weiblichen Brust! Bisweilen frage ich mich, ob ich recht daran täte, was meine geliebte Gattin angeht, wenn es mich gelüstet, die Bürden des Staats-

geschäfts abzuschütteln und mit ihr auf einem verlängerten ›Honigmond‹ Europa zu bereisen. –
Aber wir reden von der Wissenschaft, Arbuthnot, vom Fortschritt, den wir im zwanzigsten Jahrhundert erzielt haben. Ich will Ihnen einmal einen rechten Kontrast demonstrieren. Zur Zeit meines verehrten Vaters pflegten wir mit unsern Dienern auf folgende Weise zu kommunizieren.«
Er ging zu einem Sprachrohr an der Wand, zog den Pfropfen heraus, der daran gekettet war, und blies. Die braunen Backen füllten sich mit Wind (wie die eines Cherub auf einer alten Landkarte), die Augen quollen hervor, Staub stob von der Öffnung –: und als Antwort auf irgendein unhörbares Pfeifenjaulen ertönte aus einem andern Bezirk eine krächzende Stimme. Er wimmelte sie kurzangebunden ab.
»Dieses aber«, sagte der Maharadschah und drückte auf einen Schalter neben einem rund-mundigen Lautsprecher auf dem Schreibtisch, »ist unser zeitgemäßes ›Spielerchen‹.«
Aus dem Lautsprecher erklang das gedämpfte Summen der Macht, ein unterdrücktes hohl-hallendes Röhren, übertönt vom Knacksen und dem steten, verstärkten Luftholen menschlichen Atmens. Eine Pause, ein Seufzen. »Sie lauschen der Maharani. Sie sehen: Der Palast ist ›verdrahtet‹. Es soll eine kleine Überraschung für sie sein, wenn sie wieder wohlauf ist.«

Sie lehnte an kuscheligen Kissen, als er zu ihr kam, und fing an zu sprechen, ehe er ein warnendes Wort sagen konnte. Ihr blondes Haar (an den Wurzeln seit dem Färben dunkel nachgewachsen) war adrett gekämmt. Sie war stark geschminkt und zurechtgemacht.
»Hinterm Vorhang ist keiner. Nein, unterbrechen Sie mich nicht. Ich muß es jemand sagen, eh's mich erwischt.«
»Maharani...«
»Sie haben gestern von dem Baby gesprochen. Sie haben gesagt, der *soor-ke-bacha* liebt mich. Na schön. Sie sollen wissen, wie's aussieht, Doktor. Sie sollen kapieren, was dahintersteckt.«

Er versuchte, sie mit beschwichtigenden Gesten zum Schweigen zu bringen, sie darauf hinzuweisen, daß sie belauscht wurden, doch sie war nicht zu halten. Ein Schwall aus Haß und Angst und Elend sprudelte unaufhaltsam aus ihr hervor. Sie wollte alles so schnell wie möglich loswerden.
»Ist ein Tanzmädchen, Doktor. Zwölf Jahre alt. Ein ganz kleines Dummerchen. Aber schlau. Gerissen. Und bockig. Mit *kohl* und all dem Zeugs um die Augen. Möcht bloß wissen, was er an ihr findet. Ist mir auch egal. Und so schlecht zurechtgemacht. Ich tät solche Klunker nich in der Nase tragen, und barfuß, und das ganze Geklimpere und alles, und sich die Handflächen rot zu malen. Man muß doch seine Selbstachtung bewahren. Aber die ist es, die Kleine, mit ihrem Getue und Gemache und ihren Fingergelenken. Mit denen knackt sie. Er ist kein Gentleman, Doktor. Er zwingt mich, mit ihr zu reden, und ich muß sie im Palast ertragen. Bajadere oder wie sie heißen. Na, in Amerika haben wir was anderes dazu gesagt.«
»Joyce...«
»Nein. Sie sind hergekommen, um an mir rumzumachen, und da müssen Sie Bescheid wissen. Dem Mädchen mach ich ja eigentlich gar keinen Vorwurf. Die will geheiratet werden, Gott steh ihr bei, und hat keinen Schimmer. Vielleicht macht's ihr Spaß. Klar, sie ist genauso schwarz wie er, und vielleicht wird das hier so gemacht. Ich weiß nichts von dieser Marie Stopes da, aber wirklich! Und wo die alles nach riechen!«
Verzweifelt blickte er im Raum umher, überlegte, wo sie ein Mikrophon versteckt haben mochten, so daß er möglicherweise etwas darüberhängen konnte.
»Sie will Maharani werden, das will sie. Dieses dreckige Biest. Und er will's auch. Aber die Hindus dürfen nur eine Ehefrau haben, und ich bin die, wo dazwischensteht.«
Es gehörte zu seinem Beruf, geduldig hinzuhören; doch nun war er verärgert und verängstigt.
»Sie dürfen mich nicht mit allzuviel Vertraulichem belasten. Das ist doch eher etwas Privates. Schließlich bin ich als Arzt hier, nicht

als Eheberatungs-Institut. Ich bin hier, um Ihnen bei der Niederkunft beizustehen. Ihre Beziehungen zum Maharadschah ... Sehn Sie: ich werde fürs Medizinische bezahlt.«
Mit ungeheucheltem Erstaunen sagte sie: »Aber begreifen Sie denn nicht? Das Unwohlsein und alles? Ist doch klar: man will mich vergiften!«

Beim Essen ließ sich nicht erkennen, ob der Maharadschah mitgehört hatte oder nicht. Er war wohlgelaunt, und unter Umgehung seines Lieblings-Themas (Macht und Pflicht) verwies er des Längeren und Breiteren auf etwas Neues: den Helikopter, in dem er das Flugzeug der Zukunft sah. »Sie müssen es ›Hélikopter‹ aussprechen, Doktor Arbuthnot, nicht ›Heilikopter‹. Mit *heilen* hat's nichts zu tun, auch nichts mit dem griechischen *helios*, gleich ›Sonne‹. Die Ableitung ist völlig anders, fällt mir aber im Moment nicht ein. Noch einen Port?«
Später, auf der Terrasse, erforschte der Doktor sein medizinisches Gewissen. Frauen mit Kümmernissen logen gern, und Schwangere neigen zu Hirngespinsten. In Indien war es nichts Außergewöhnliches, daß jemand wähnte, vergiftet zu werden. Es war ein giftiger Kontinent. Sein christlich-einfältiges Gemüt schreckte vor dramatischen Interpretationen zurück: es scheute Raubkatzen-Theorien einerseits, unangenehme Folgen andererseits.
Die Hyänen, stets die Niederlassungen der Menschen umkreisend, riefen, lauter werdend, die Nacht aus: Kau-ra, Kau-ra, Kau-ra.
Arbuthnot schüttelte sich und ging zu Bett – in Begleitung eines mehrstöckigen Whisky, nicht zu sehr verdünnt, also fast ›sauber‹.

Er wurde von seinem eigenen Würgen wach. Schmutz und Schmerzen peinigten ihn. Sein Magen stand in Flammen, und seine ausgedörrte Kehle krächzte kratzig. Im Erbrochenen war Blut. Die Gedärme ließen sich nicht beherrschen; der Puls war schwach und schnell; in den Waden hatte er Krämpfe. Zwischen

Spasmen stellte er diese Symptome fest, und sein Hirn suchte trotz aller körperlichen Konvulsionen nach einer Erklärung. Ärzte im Osten verfallen sofort auf Tropenkrankheiten. Cholera, Typhus, Ruhr? Falls Cholera – dann sah es übel aus.
Er trank einen Schluck Whisky aus der Flasche und erbrach nur noch schlimmer.
Er saß auf der Bettkante, fror an den Füßen, atmete heftig, hielt sich den klammen Kopf mit steifen Händen – und zwang sich zum Überlegen. – Denk doch mal nach.
Arsen.
Er schleppte sich zu dem Stuhl, an dem seine Kleider hingen, und suchte in der Jackentasche fieberhaft nach dem kleinen schwarzen Burroughs Wellcome Diary, das er stets bei sich trug. Mit fühllosen Fingern begann er zu blättern; seine Augen ließen ihn im Stich; das dünne Papier klebte unter seinem zitternden Daumen zusammen. Seite 70. ›Anorganische Gifte: (Forts.) – Arsen und Zubereitung. Symptome: s. u. Antimon.‹ Er verfluchte Antimon. Die grausame Qual, mit tauben Fingern bis auf S. 69 zurückblättern zu müssen, erfüllte ihn mit Wut. Als er sich endlich zur richtigen Überschrift durchgewühlt hatte, die ihm vor den Augen tanzte, ging er mit ungeheuren Schwierigkeiten den Symptomen von Arsen und Antimon nach.
Antimon: das Anti-Mönchs-Gift – dieser kleine Informations-Fund amüsierte ihn über die Maßen, und er lachte wie wahnsinnig, bis er sich wieder erbrach. Er krümmte sich vor Schmerzen.
Aber trinken mußte er.
War Arsen in Whisky löslich? Stand das im Wellcome Diary? Er glaubte: nein. Flatternd fuhr er über die engbedruckten Seiten, auf denen er nur sehr wenig erkannte. Er schüttelte die Whiskyflasche, in der sich doch tatsächlich etwas Bodensatz zu befinden schien. Er warf sie zum Fenster hinaus.
Behandlung?
Mit nervtötender Beharrlichkeit fand er auf die siebzigste Seite zurück. Doch der kleine Druck narrte ihn, und für seinen verwirrten Geist wurden die langen Wörter immer bedeutungsloser, Ma-

genspülungen und Eisenhydrat und Dimercaprol (B.A.L. – *British anti-lewisite:* Gegengift bei Schwermetallvergiftungen), 2–3 mg/kg Körpergewicht per Injektion i. m. als 5 oder 10 %ige Lösung in... Was hatte das alles mit ihm zu tun? Er war mit einer Hebammen-Ausstattung hergekommen. Das Büchlein fiel ihm aus der Hand, während er sich in Krämpfen bog wie ein Lachs am Angelhaken.
Überleg doch mal.
Ja: hinlegen und warmhalten. Nichts trinken, was zum Trinken bereitsteht, schon gar nicht Wasser. Nimm etwas doppelkohlensaures Natron zu dir; in der Tasche ist was; ja, und ein Fläschchen Oliven-Öl ist auch da. Als altem Kämpen war es ihm zur Gewohnheit geworden, auf jeder Reise Oliven-Öl und Worcester-Sauce mitzuführen. Er trank, gab sich Morphium, ließ sich ins faulige Bett sinken und empfahl sich der Gnade und Barmherzigkeit seines Schöpfers.
Es war eine stille Nacht – so still, wie eine Nacht in Indien nur sein kann. Die Stille war in Wirklichkeit Geräusch: das dünne, verrücktmachende Zirpen der Zikaden. Vor diesem Hintergrund aus *pizzicati* sang ein Ochsenfrosch in einer der Zisternen (offenbar der Vorsänger) in abgemessen tiefer Tonfolge: Tod, Tod, Tod. Der sykophantische Chor gab ihm sogleich Antwort im Diskant: Ja, ja, ja, ja, ja, ja. Es war das breckeckeckeck-quak, quak, quak des Aristophanes – nur, daß hier das Quaken zuerst kam. Die Menge pausierte, um diese Feststellung zu erwägen, während die Heimchen weiter sägten. Dann legten sie wieder los: schrilles Respondieren auf heiserkehliges Verkündigen. Tod, Tod, Tod. Ja-ja-ja-ja-ja-ja.

Tönend sprang die Sonne über den Rand der Erde. Die Affen hetzten durch die Bäume. Die Pfauen schrien schrill gegen das Gezwitscher der Sittiche und das Gurren der Tauben an. Die Plejaden-Vögel, drosselgroß und salopp, trieben sich zu zweit und zu dritt am Boden umher und kümmerten sich um niemanden. Dr. Arbuthnot, erschöpft und fleckig, doch lebendig, taumelte auf die Terrasse, um die Rückkehr des Tageslichts zu begrüßen.

Auf der Terrasse – und dies hatte es zuvor noch nicht gegeben – machte der Maharadschah seinen Morgenspaziergang. Blauer Zigarrenhauch hing duftend in der reglosen Luft. Sein langer Schatten erstreckte sich über den Rasen und vermischte sich mit dem längeren von Lord Curzon. »Guten Morgen, Arbuthnot. Einen guten Guten-Morgen, lieber Freund. ›Den allerschönsten Gut-Morgen‹, wie man in Kaledonien sagt. Oder war's Irland? Haben Sie wohl geruht? Ein herrlicher Tag kündigt sich an: Sie merken es an den Pfauen. Der Sonnen-Aufgang, die frische Luft, die Geburt der Natur! Beim Zeus: es ist eine Lust zu leben!«

Der Henker soll dich holen, du heimtückischer Hund, dachte er matt – mit dem quengeligen Grimm eines Gequälten. Also willst du sie doch vergiften. Deshalb brauchtest du einen Feld-Wald-und-Wiesen-Arzt und keinen Spezialisten: um sie vor meinen Augen umbringen zu können und trotzdem einen einwandfreien europäischen Totenschein für den Resident zu haben. Und dann, wenn sie beiseite geschafft war, brauchtest du nur noch mich aus dem Weg zu räumen. Sie muß eine chronische Arsen-Vergiftung haben – meine war akut. Du verschlagener orientalischer Gentleman!

Als er jedoch kräftiger wurde, kehrten die Zweifel zurück. Es gab so viel Ungeziefer in Indien. Konnte ihn nächtens nicht irgend etwas gebissen oder gestochen haben, ein hämotoxisches Insekt? Und wie stand's mit den typischen Tropenkrankheiten? Er zermarterte sein mitgenommenes Hirn und bedachte die verschiedenen Möglichkeiten – Ruhr, eine maligne Drei-Tage-Malaria? Außerdem: war es vorstellbar, daß heutzutage ein bekannter Radschah mit englischer Ausbildung versuchen sollte, einen populären Arzt aus Bombay zu beseitigen?

Vorstellbar oder nicht, konstatierte er mit zusammengebissenen Zähnen: ich komm aus Peebles. Ich hab meinen *Oath of Aesculapius* abgelegt. Den hippokratischen Eid. Ärzte von der Medizinischen Akademie zu Edinburgh verlieren nicht ihre Patienten für nichts. Die Frau da ist meiner Obsorge anvertraut, und gesorgt werden wird für sie. Das Baby wird geboren, und die Maharani bleibt am Leben – oder Jamie Robert Arbuthnot kann sich einen Reim darauf machen.

»Maharadschah, ich fürchte, Ihre Hoheit leiden an Phantasmagorien. Sie wissen ja, wie's mit Frauen in ihrem Zustand ist. Um es grob zu formulieren: sie glaubt, daß man sie vergiften will.«
»Sie erschrecken mich, Dr. Arbuthnot!«
»Höchst unerfreulich, fürwahr – aber so liegen die Dinge. Wir müssen alles tun, um sie aufzuheitern. Ich hab mir gedacht, ich könnte meine Mahlzeiten vielleicht im Gemach der Maharani zu mir nehmen, sie mit ihr teilen, damit sie ißt und sich kräftigt?«
»Selbstredend, Doktor. Wir müssen alles tun, was Sie für richtig halten. Gift! Wie entsetzlich! Sie haben doch nicht die Dienerschaft im Verdacht?«
»Nein nein. Von Verdächtigungen kann keine Rede sein. Es handelt sich um prä-natale Hysterie.«
»Was für eine Vorstellung! Wirklich: ich bin entsetzt.«
»Nach der Entbindung wird Ihre Hoheit andern Sinnes sein.«
»Bislang so fröhlich, so zufrieden in unserm kleinen Palast-Heim! Wie kommen solche Gedanken in ihren blonden Kopf? ›Goldköpfchen‹ – so hab ich sie immer genannt, Arbuthnot: ›in den seligen Zeiten der Liebe‹. Und nun diese düstere Wolke zwischen uns. Sie nehmen doch wohl nicht an, daß sie mich persönlich verdächtigt?«
»Ihre Hoheit befindet sich in einem Stadium der Über-Erregtheit.«
»Also verdächtigt sie mich doch! Arbuthnot, Arbuthnot, wie soll ich das ertragen? Ich muß es vergessen, darf's ihr nicht ankreiden. Ich muß immer daran denken, daß es eine Verblendung der Schwangerschaft ist.«
»Genau das.«
»Meine Welt bricht in Stücke«, sagte der Maharadschah.
»Dann wollen wir es also in Zukunft so halten«, sagte der Doktor, »daß ich mit der Maharani zusammen essen werde. Unsere interessanten Nach-Tisch-Plaudereien werden mir fehlen. Ja, vielleicht

ist es sogar besser, wenn ich aus Sicherheitsgründen fürderhin selber koche. Zum Glück habe ich etliche Dosen *Allenbury's Food* in meinem Gepäck, ungeöffnet, und vielleicht haben Sie die Güte, dafür Sorge zu tragen, daß wir mit Eiern versorgt werden – in der Schale. Die Getränke-Frage ist in ihrem derzeit derangierten Zustand heikel. Dieses Problem könnte Ihr ausgezeichnetes Lager-Bier lösen. Es dürfte nicht schwerfallen, sie davon zu überzeugen, die Arme, daß eine Flasche kohlensäurehaltiges Bier sofort schal würde, wenn man an ihr manipuliert hätte, um Fremdstoffe zuzusetzen. Solange das Lager-Bier in Ordnung ist, Eure Hoheit, wird sie sicher sein, daß man es nicht berührt hat.«

Der Maharadschah rang die Hände.

»Mein Goldköpfchen!« rief er aus. »Nun wohl, ich weiß: ich muß es ›wie ein Mann‹ ertragen.«

»Für alle Fälle«, fügte der Doktor nachdenklich hinzu, »habe ich meinen Kollegen in Bombay von diesem unbegründeten Verdacht brieflich in Kenntnis gesetzt.«

Die Maharani akzeptierte seine Maßnahmen ohne ein Zeichen der Dankbarkeit.

»Na schön«, sagte sie. »Werd lieber das Baby kriegen. Vielleicht läßt er's am Leben.«

»Ich muß Ihre Hoheit darauf hinweisen, daß der Maharadschah dieses Gemach mit einer Lausch-Anlage hat versehen lassen. Irgendwo ist ein Mikrophon versteckt. Er hat's mir freundlicherweise erzählt.«

»Macht nichts. Diese verdammten Eingeborenen haben sowieso überall ihre Ohren dran.«

»Sie bringen mich in eine unangenehme Lage. Außerdem: Wenn Seine Hoheit wirklich mithören würde, wär's wohl unklug – unhöflich –, ihn mehr als nötig aufzubringen.«

»Unhöflich?«

»Mir gegenüber hat der Maharadschah stets zuvorkommend von Ihnen gesprochen.« Sie beugte sich über den Bett-Tisch, auf dem sie eine Doppel-Teufel-Patience legte. »Dr. Arbuthnot, Sie glauben doch nicht im Ernst, daß der mich am Leben lassen will?«

»Natürlich glaube ich das.«
»Und deshalb kochen Sie mir Eier in der Schale und löschen meinen Durst mit ungeöffnetem Lager-Bier?«
»Das ist... das ist bloß eine Vorsichtsmaßnahme, Joyce. Ich will nur sichergehn...«
»Haben Sie vor, für immer hierzubleiben?«
»Natürlich nicht. Das heißt: nach Ihrer Entbindung...«
»Wie hätten Sie Ihre Eier gern gekocht?« parodierte sie bitterböse. »Wer wird sie kochen, wenn Sie weg sind?«
Die Zangengeburt verlief, trotz allem, ziemlich zufriedenstellend, doch die Maharani weigerte sich, ihr Baby zu sehen. Der Maharadschah war außer sich vor Freude.
»Eine Tochter!« rief er entzückt. »Meine innigsten Gebete wurden erhört!«
Er nahm des Doktors Hand in beide Hände; seine blutunterlaufenen Augen waren den Tränen nah.
»Glauben Sie nur nicht, Arbuthnot, alter Freund, daß die Prinzen von Indien allein auf einen Sohn und Erben hoffen. Vorbei sind die Tage der ›Sati‹, als die Witwe sich mitverbrennen ließ, vergessen die verwerflichen alten Bräuche, bei denen das weibliche Neugeborene Gefahr lief, ausgesetzt zu werden. Nein nein, das hat sich in zivilisierten Staaten wie dem unsern längst geändert. Ich werde sie Esmeralda nennen. Ein bezaubernder Name, finden Sie nicht? Sie wird der Smaragd meines *pagri* sein. Meines Staates *pagri*, Arbuthnot. Oder sollte ich Turban sagen? Diese Termini sind eher verwirrend. Wie ähnlich sie ihrer hübschen Mutter ist! Genau die gleichen Augen! Und die Haare – obwohl im Augenblick zugegebenermaßen schwarz – werden fraglos zu jenem Flachs-Blond, welches das mütterliche Haupt bekrönt. ›Blondinen bevorzugt‹, mein guter Freund, ha-ha. Stimmt's nicht? –
Gott entgelte Ihnen alles, Arbuthnot, was Sie für uns getan haben. Ein neues Leben, das alte herzliche Vertrauen. Wie geht's Ihrer Hoheit? Darf ich ihr einen kleinen Gratulations-Besuch abstatten? Sie hegt wohl nicht mehr... leidet wohl nicht mehr... hat diesen Argwohn doch hoffentlich abgelegt? Ich seh schon: ich brauche

nicht zu fragen. Alles vergeben und vergessen. ›Die Regen sind vorbei und weit, nun ist es Vogelstimmen-Zeit. Wo steht das?«
»Ich glaube, es steht in der Bibel.«
»In der Bibel! Im Buch der Bücher, in der Heiligen Schrift. Wissen Sie, Arbuthnot, ich fühle mich selber heute heilig, regelrecht heilig. Wenn Sie zu Ihren Glaubensbrüdern in der lieben alten Presidency zurückkehren, müssen Sie ihnen aus voller Überzeugung sagen, daß es keinen großen Unterschied gibt zwischen Hindu und Christ. Richten Sie ihnen das aus. ›Brüder im Geiste‹. Dieselbe Ehrfurcht vor dem Leben, die gleiche Sanftheit des Gemüts. ›Die Liebe aber ist die größte unter ihnen‹. Wie jetzt die Sonne dem nachsichtigen Vater scheint – der glücklichen Mutter nicht zu vergessen, die bald diese kleine Stirn an ihren strotzenden Busen legen will, nun, da alles Leid zu Ende. –
Kommen Sie, wir müssen dem Neugeborenen mit einem fürstlichen Trunke zuprosten! Die *ayah* wird das Kleine in sein Nest zurücktragen. Mein kleiner Esmeralda-Smaragd! Einstweilen: Lebewohl. Brandy und Champagner! Oder sollen wir ihn auf einem Stück Würfelzucker nehmen, mit einem leichten Anhauch von Cayenne? Vielleicht ziehen Sie Black Velvet vor? –
Was Sie auch wählen, Doktor: heute sind Sie der Beherrscher dieses Palasts. –
Sie müssen lange bei uns bleiben, Arbuthnot. Ich bestehe darauf. Sie müssen meiner Kleinen, meinem Weibchen, jene Gesundheit wiederbringen, derer wir uns einst erfreuten. Sie müssen ihr den Weg dorthin weisen. Es wird ein ›Rosenpfad‹ für alle von uns. *Cheerio!* Prost –
Noch einen Schluck Champagner? So ist's recht. So ist's recht. ›Und laßt der ... laßt der Freude freien Lauf‹.«
Das Schielen lag am linken Auge, konstatierte Arbuthnot, da die Freudentränen fröhlich in den schäumenden Champagner-Kelch tropften.

Am Bahnhof entdeckte er nach der langen Fahrt im sechsten Rolls Royce das Reise-Necessaire schließlich trotz allem in seinem Ge-

päck. Neugierig machte er es auf. Und drinnen lag auch der Solitär-Diamantring. Beides ließ er mit dem Rolls zurückgehn.
Etliche Monate später – als er im Byculllo Club seinen Dämmerschoppen zu sich nahm –, hörte er, die Maharani und ihr Kind seien tot. Von Cholera war die Rede.

Eine rosige Zukunft – Namenlos

Sie stand sechs Wochen vor ihrem zwanzigsten Geburtstag. Sie war Irin, sie war Katholikin, und dementsprechend Jungfrau. Sie war hübsch, wenn man so wollte: jedenfalls nicht häßlich. Ihre Haare trug sie so, wie sie's aus den Filmen des vergangenen Jahrhunderts kannte, und ihr billiges Kleid war ebenso alt – nicht etwa, weil sie keinen Sinn für Mode gehabt hätte, sondern weil sie sich nicht oft neue Kleider leisten konnte. Sie war Tippse in Dublin gewesen. Neben der Flugkarte hatte sie sich noch sieben Pfund zehn zusammengespart: genug, um von zu Hause ausreißen zu können. Noch nie zuvor hatte sie in einem Flugzeug gesessen, und der Name auf dem Ticket war nicht ihr richtiger. Sie flog nach London, um dort ihr Glück zu machen. Sie hieß Moira.

Der Pilot ließ die Passagiere wissen, daß sie sich in siebentausend Fuß Höhe befänden und gegen achtzehn Uhr landen würden. Sie blickten aus den Fenstern auf die vibrierenden geschwungenen Tragflächen und die kabbelige See darunter. Es war ein opalisierender Winter-Abend ohne Horizont. Der taubengraue Dunst und die flamingo-farbenen Cumulus-Wolken gingen ohne eine Trennungslinie in den kalten Ozean über. Den Passagieren kamen, ohne daß sie sich äußerten, vielfältige Gedanken über den Lauf des Lebens. Der Luft-Fisch schwamm in der Höhe, wie die Meeresfische tief unter ihnen im Wasser, auf dem ein Schlepper seine Rauchfahne gleich einem Flederwisch hinter sich her zog. Alle waren sie in einem Aquarium. Das regelmäßige Fischgrätmuster der Wellen paßte nicht zur Brandung und den Schaumkronen. Das heißt, es gab keine weißschopfigen Brandungswogen wie an einem Meeres-Strand. Statt dessen blühten hier und da und dorten Wasserblumen an Rändern und Riffs. Brandung? Brecher? Eher Schuppen wie aus Schnee auf der flach-grauen Fläche, siebentausend Fuß unter den Flugzeug-Flügeln.

Außer ihr waren noch fünf Passagiere an Bord. Einen kannte Moira: Er war ein Buchmacher aus Dublin. Ein Pärchen befand sich

augenscheinlich auf Hochzeitsreise: Das Mädchen (die junge Frau) war nervös und zupfte an ihren Handschuhen, während der frischgebackene Ehemann steif in seinem neuen Anzug dasaß, eine Blume im Knopfloch, den Hut nach Gangster-Art ein wenig schief auf dem Kopf. (In der Öffentlichkeit verhalten sich Iren erstaunlich still). Dann eine Nonne, Benediktinerin, wohlbehütet in Schutz und Schirm ihres Gottes. Ein distinguierter Herr in englischer Kleidung mit schwarzem Homburg und Aktentasche und grauen Schläfen sah aus wie Anthony Eden. Moira meinte, er müsse Diplomat sein.
Und wenn wir in London landen, dachte das Mädchen Moira, vergißt er vielleicht seine Aktentasche und läßt sie auf dem Sitz liegen. Ich werd sie an mich nehmen – ohne Eile, ganz gekonnt – und ihm leichtfüßig zum Zoll folgen. Wie er dort darauf wartet, daß man seine eleganten Koffer (Schweinsleder) durchsieht, werd ich kühl und herablassend zu ihm sagen – ganz die große Dame –: »Entschuldigen Sie schon«, werd ich sagen, »aber Sie haben wohl diese Tasche vergessen gehabt?« Und er wird sagen: »Meine Gnädigste! Dem Himmel sei Dank, daß Sie sie rechtzeitig gefunden haben! In dieser Aktentasche liegen die Geheim-Abkommen eines Vertrags zwischen Sir Winston Churchill und Mister De Valera. Wenn die verlorengegangen wären, na, da möcht's möglicherweise eine Verstimmung zwischen Old England und den sechsundzwanzig Counties gegeben haben! Sie sind die Retterin unserer Rasse!« – »Nich der Rede wert«, tät ich herablassend sagen, damit er kapiert, daß ich nicht so eine Hergelaufene bin... Nein, die Geschichte lief falsch. »Nix zu danken«, werd ich sagen. »Das Ding is mir grad so in die Händ' gefallen.« – »In so schöne Hände«, wird Mr. Eden sagen, »die milchweißen Hände eines echten Iren-Mädchens! Madame, gestatten Sie mir, Ihnen den Dank Ihrer Majestät Regierung auszudrücken. Anerkennung.« Und dann küßt er mir die Hand – die muß ich mir noch abwischen – (sie wischte sich ihre rosigen unschuldigen Finger am Rock) –, und wie mir sein grauer Schnurrbart grad den Knöchel kitzelt, da flüstert er: »Meine Prinzessin!«

Oder vielleicht wartet da so'n Rolls Royce, eine lange schwarze Karosse mit Initialen vorne dran statt einem Nummernschild, und er sagt: »Gestatten Sie, daß ich Sie in Ihrer Luxuswohnung absetze – ehemm... Buckingham Palace?« Nein, es mußte *möglich* sein. Sie hatte kein Appartement; sie konnte nirgends abgesetzt werden. Sie wollte nicht, daß der rosenfarbene Traum zu einem Phantasiegespinst würde. Er mußte realisierbar sein, im Bereich der Möglichkeiten bleiben.

Vielleicht bestand er darauf, sie in die Downing Street mitzunehmen. Damit der Premierminister ihr persönlich danken könne. Aber mit Sir Winston hatte sie nichts im Sinn; der war doch viel zu alt; und verheiratet obendrein. Wenn man's recht bedenkt, ist Mr. Eden ja auch verheiratet. Vielleicht könnt der Diplomat ein Junggesellen-Herzog sein; davon gab's viele bei den Diplomaten; und der würd mich zu seiner Mutter, der Frau Gräfin, zum Tee einladen.

Als sie sich das ausmalte, krümmte sich ihr kleiner Finger im Schoß.

Wenn sie erst verheiratet wären, würde sie selber eine Herzogin sein. Natürlich müßt er die Religion wechseln, ihr zuliebe – falls er nicht sowieso einer von den katholischen Herzögen war, wie der Duke of Norfolk; aber der war leider auch schon verheiratet. Und in einem hochherrschaftlichen Haus würd sie wohnen, wie der Duke of Leinster, mit silbernem Sahne-Kännchen und Parfum von Guerlain und echten Nylon-Sachen unten drunter, nichts Unanständiges; und manchmal würd sie im Rolls Royce zu ihrem alten Papa zu Besuch fahren – vielleicht würd sie ihm auch einen schenken, oder so'n hübsches Häuschen in Bray mit einer elektrisch geheizten Decke – und Father Flood würd sie das Bild kaufen, das er sich so wünschte, und Esther McMennamin tät sie die neun Shillings zurückzahlen, die sie sich geborgt hatte. Die würde sie in einem Brief zurückschicken, auf rosarotem Papier mit einer Krone drauf, ja, und was Esther da für Augen machen würde, wenn aus dem Brief als Zeichen ihrer Dankbarkeit noch eine Diamantbrosche rausfiele!

Hernach, wenn sie ein paar Babies hätten, alles Ritter – Sir Patrick, Sir Eugene und Sir Desmond –, da würd sie dann am Buckingham Square würdevoll alt werden, oder was der beste Square in London war, und mit einem Diadem oder so was würd sie zu allen Wohltätigkeitskonzerten gehn. Ihr Gemahl, der Herzog, tät zu ihr sagen: »Meine Liebe, das war doch der Wendepunkt in meinem Leben, wahrhaftigen Gotts, wo ich dich in dem Flugzeug kennengelernt hab, und du hast mich all die Jahre zu einem glücklichen Mann gemacht, gelobt sei Gott.«
Moira war weder habgierig noch selbstsüchtig. Sie war entschlossen, den Herzog glücklich zu machen, als Entgelt für das Glück, das er ihr bringen würde, und sie wußte ganz genau, daß die Welt nicht allein zu ihrem ausschließlichen Vergnügen und Plaisir gemacht war. Sie nahm sich fest vor, ihrem Herzog eine treusorgende Gattin zu sein und ihren Kindern eine liebevolle Mutter. Trotzdem: die Nylons wollte sie schon haben.
Unterdessen surrte die geflügelte Maschine weiter in die Abenddämmerung hinein, über die kantenreiche Küste, über eine Golf-Anlage; die ›Bunker‹ des Platzes wirkten wie Dellen auf einem Daumennagel. Aus irgendeinem Grunde war er im letzten Krieg bombardiert worden, und die Narben waren von der Luft aus deutlich erkennbar: kleine Mondkrater toten Gewebes auf der weiten, dunkelnden, heimeligen, lebendigen Insel England. Die Autos – winzige Krabbelkäfer auf der Kartenlandschaft – schalteten ihre Scheinwerfer ein. Vor Moiras Fenster spielte sich das geheimnisvolle Heben und Weben der Luftwirbel ab, machtvoll und unsichtbar zugleich.
Bald würden sie da sein. Sie mußte von ihrem Diplomaten Abschied nehmen. Vor dem Flughafen würde, wie sie wußte, ein Bus stehen und sie nach Kensington bringen, und von dort aus ein anderer – sie schaute in ihrem Brief nach der Nummer – zum Haus von Mrs. Pilkington, wo sie als Kindermädchen Anstellung gefunden hatte. Für den Augenblick mußte sie von dem Herrn Diplomaten zwar Abschied nehmen – für die Zukunft aber würde er ihr bleiben. Unbarmherzig sagte sie ihm vom einen Atemzug zum

andern Lebewohl. Warum nur mußte alles so absolut unmöglich sein? Einem kleinen Katzenweibchen von fast zwanzig durfte man wohl nachsehn, wenn es seine Pfötchen nach dem Wundertraum ausstreckte?
Über London wirbelten in der Dunkelheit Myriaden heller Straßen wie erleuchtete Speichen eines Riesenrades. Bienenschwärme von Lichtern. Schaufenster funkelten. Schornstein-Skelette jagten vor Fensterscheiben vorüber, da das Flugzeug über den Dächern kreiste.
Die Stewardess machte jedem Fluggast eine Mitteilung. »Wir sind angewiesen, eine Schleife zu fliegen; die Landung wird sich um zehn Minuten verzögern.«
Und sie würde berühmt! Jetzt blieb ihr noch Zeit, ein wenig weiter an den Herzog zu denken. Nicht als Stenotypistin, nicht als Kindermädchen, nein: als die bekannte und beliebte und schöne *Duchess of Wales!* Auch wollte sie Gutes tun und Geld den Armen geben und ein Kloster gründen, oder eine Stiftung ins Leben rufen, oder etwas erfinden, so, wie Madame Cury im Kino. Nach ihrem Tod würd man ihr ein Denkmal errichten und für ihre Seele viele viele Messen lesen. Für den Herzog auch. Und für die Kinder.
Duchess of Wales!
Vorn ging die Tür auf – unter der beleuchtbaren Anzeige, die das Rauchen untersagte –, und ein Mann mit puterrotem Gesicht kam in die Kabine. Er gehörte zu denen, die vor Angst erröten, statt zu erblassen. Aber er verhielt sich gefaßt.
Er sagte: »Wollen Sie sich bitte anschallen? Wir werden eine Notlandung machen.«
Die Stewardess, die bleich statt rot wurde, kam vom hinteren Sitz und verteilte Süßigkeiten. Routine beschäftigt und lenkt ab. Sie sagte, es gebe keinen Grund zur Beunruhigung.
Die rote Leuchtschrift lautete: NO SMOKING. Es schien ein bißchen nach Benzin zu riechen.
Keiner hatte für einen Rosenkranz Zeit; dramaturgische Tricks und Tüfteleien unterblieben. Aus ihrem Steuerbordfenster sah

Moira an der möhrenförmigen Motorhaube in schneller Folge Feuertropfen, und die liefen zum Heck – ehe sie ein Gefühl der Furcht befallen konnte – und wurden zu einem riesigen Rasierpinsel oder Schweißbrenner aus strontiumfarbenen Flammen. Während ihr Mund sich noch öffnete, senkte sich die Kabine nach Backbord, so daß sie nach der Armlehne griff, dann nach der Handtasche in ihrem Schoß, und mit der Stirn aufschlug. Der rosige Schneidbrenner an der Tragfläche wies von ihr fort. Dann gab's einen einzigen großen Blitz grellen Gelbs, wie damals, als die Paraffin-Lampe ihres Papa explodiert war und ihr die Augenbraue versenkt hatte. Aber ihr blieb keine Zeit, daran zu denken.

Die Morgenzeitungen berichteten, daß es keine Überlebenden gegeben habe. Die Namen der Crew wurden aufgelistet. Die Passagiere waren:

Mr. Eamon McCowen, 53, Buchmacher, Dublin.
Mr. und Mrs. Ryan, Connemara.
Schwester Ursula Mary, Kylemore.
Mr. J. Smith, 47, Handelsreisender, Ealing.
Eine Leiche hatte nicht identifiziert werden können.

Der Mann

Komm, Nicky. Erhebe dich. Raus mit dir.« Der hübsche Jüngling lungerte, scheinbar nur aus Knien bestehend, in dem billigen Sessel, die Stirn in den Händen, die Ellbogen auf den hölzernen Lehnen, und las ein Buch von Ruby M. Ayres aus der Bücherei. Unwillig blickte er auf.
Er sagte: »Laß mich doch eben zuende lesen.«
»Komm schon. Kannst heute abend zuende lesen. Wir müssen für Mrs. Creed ein Karnickel kriegen.«
Er war siebzehn. Er haßte den kräftigen, energischen Mann von dreißig, der mit seiner Mutter zusammenlebte. Er wußte nicht, daß er ihn haßte. Nahezu alles, was er fühlte, war falsch, den Leuten nach zu urteilen, die ihn umgaben, so daß er – obwohl etwas in ihm den muskulösen Mann haßte, und die blöde Hühnerfarm haßte, und die Arbeit haßte, und seine Schule haßte, wo er Klassensprecher sein sollte, es aber nicht war – diese Gefühle verbarg und sich ihrer schämte und sie nicht erkannte. Im Grunde haßte er sich selbst. Er wollte sich in seinem Sessel verkriechen und sich lesend davonmachen: in eine weniger wirkliche Welt.
»Laß mich wenigstens das Kapitel zu Ende lesen.«
Der Mann nahm ihm das Buch von den Knien und klappte es zu. Freundschaftlich-kumpelhaft grinste er Nicky an. Er war einer jener burschikosen Ex-Offiziere, die in Kantine und Kasino Klamauk machten und Bier ins Klavier kippten. Er konnte alles, was Nicky nicht konnte: tischlern, Hühner züchten, Fußball spielen.
»Du wirst noch blind von der ganzen Leserei.«
»Herrjeh! Also gut.«
Der Jüngling wickelte die Gliedmaßen seines verhaßten Körpers auseinander (er mißfiel sich wegen seiner abstehenden Ohren) und rappelte sich auf.
»Soll ich die Flinte mitbringen?«
»Meinetwegen. Wir lassen ein paar Löcher offen.«

Sie holten das Frettchen. (Nicky allein hätte sich damit schwergetan, der Mann hingegen hob es einfach hoch): rote Augen und nadelspitze Zähne und Gestank und kleine Klauen. Dann kamen die Kaninchen-Netze, geknoteten Einkaufsnetzen ähnlich, mit ihren Holzpflöcken, und die alte einläufige Schrotflinte, Kaliber zwölf: zu mehr reichte es auf der Farm nicht. Zu den vielen Dingen, die an dem Jüngling nagten, gehörte das Arm-Sein. Er war außergewöhnlich stolz. Er wollte reich und erfolgreich sein und als feiner Herr bewundert werden, wie seine Vorfahren: ein angesehener Maler, ein berühmter Frauenheld. Was aber hatte er? Einen Holz-Bungalow, kränkelnde verlauste Hühner, die er mit ungeschickten Händen rupfen und reinigen mußte; und schließlich oblag ihm die fürchterliche Pflicht, diese Leichen während der Ferien an den Türen reicherer Freunde abzuliefern, die ärmer als seine Großeltern waren.

Die drei Foxterriers jaulten jappsend und wedelten aufgeregt mit den Ruten (die Hündin ließ die ihre wie ein Lämmer-Schwänzchen kreisen). Nicky's Mutter, die ein Buch aus der Bücherei las – was ihre Lieblingsbeschäftigung war –, rief ihnen nach, *zwei* Karnickel zu bringen: eins fürs Abendessen.

Durchs baufällige Gattertor gingen sie in den Wald.

Die großen Bäume waren im Krieg gefällt worden. Jetzt gab's hier nur Schößlinge und Unterholz und Niederwuchs, ein paar Silberbirken und kleine Pappeln, dazu Flecken mit Farnkraut, das im Frühjahr die Bischofs-Krummstäbe seiner Triebe entrollte.

»Wollen's mal am Bau auf Hugget's Seite probieren.«

Auf dem schmalen Pfad zwischen den Wedeln ging er hinter dem Mann her: geplagt von den Unzulänglichkeiten der Pubertät. Er hielt sich für schlecht, für schuldig, für verachtenswert ob seiner Gefühle. Er mußte fester zupacken. Er durfte sich nicht vorm Ausmisten der Hühnerställe drücken. Er brauchte das Abwaschen nicht so zu verabscheuen. Er sollte seiner geliebten Mutter eine größere Hilfe sein, ihr, die so viel opferte, damit er die Schule besuchen konnte. Sie hatte ihm zu verstehen gegeben, was für eine Märtyrerin sie sei, was für ein klagloser beschützender Engel.

Er durfte das tüchtige Mannsbild nicht fürchten und verachten, den Mann, mit dem sie lebte und der die meiste Arbeit auf der Farm verrichtete und dadurch dazu beitrug, ihm den Besuch der Schule zu ermöglichen. Vor allem jedoch sollte er, in der Schule, diese Liebelei mit Peter Lea lassen, dem vierzehnjährigen Freund. Sie war zwar rein platonisch – eine leere Kathedrale aus Liebe und Schutz in seinem Herzen –, doch er akzeptierte, daß man sich ihrer zu schämen habe. Wenn beim Gottesdienst von David und Jonathan die Rede war oder in der Predigt gewisse Andeutungen fielen, errötete er zutiefst.

Seine Mutter – Tochter eines Generals, dessen Frau auf eine K.C.B.-Auszeichnung versessen war (Knight Commander of the Bath: Großmeister des Bath-Ordens) – hatte vor der Kinsey-Report-Zeit das Licht der Welt erblickt. Sie wußte nicht, was Dr. Schwarz inzwischen publizierte: daß zwei Drittel aller bislang befragten verheirateten Frauen frigide seien. Von all diesen Dingen hatte sie keine Ahnung. Sie war frigid.
Als sie in den meisten Kolonien, wo ihr Vater diente, ein halbes Dutzend Heiratsanträge abgelehnt und das dreißigste Lebensjahr erreicht hatte, war sie eines Tages von ihrer Mutter gefragt worden: »Helen, glaubst du denn, du kannst dich von deinem Vater lebenslang aushalten lassen?« Zum Abschluß einer dieser zermürbenden, unverzeihbaren, nichts klärenden Auseinandersetzungen, wie sie zwischen Töchtern und Müttern vorkommen, hatte sie gesagt: »Na schön, ich nehm den erstbesten, der mir einen Antrag macht«. So war's geschehen. Nicky's Vater, ein künstlerisch angehauchter Major, der Kurzgeschichten zu schreiben versuchte und bei Regiments-Konzerten Klavier spielte, war in dieser Angelegenheit nicht nach seiner gefühlsmäßigen Einstellung gefragt worden.
Nachdem Nicky geboren war, hatte seine Mutter dem Major ihr Bett verweigert und es mit einer Foxterrier-Familie anstelle eines Ehemanns gefüllt und bevölkert: den Vorfahren der derzeitigen. Sie war hypochondrisch geworden, eine alles-verschlingende Le-

serin und eine Tag-Träumerin. Sein Vater hatte sich dem Trunk ergeben.
Dies geschah zu jener Zeit, da man in England eine juristische Trennung statt einer Scheidung erlangen konnte – mit der Auflage, daß der Ehemann, ohne wiederheiraten zu können, seine Frau mit einem Teil seines Einkommens zu alimentieren hatte und sie nicht sehen durfte. Nicky's Mutter hatte diese Form des Bruchs gewählt, und die Trennung war aus Grausamkeits-Gründen ausgesprochen worden. Sie wußte, was sie wollte, und ihre schauspielerischen Fähigkeiten hatten ausgereicht, den Richter zu überzeugen.
Jetzt, im Alter von achtundvierzig, teilte sie ihre Hühnerfarm mit einem Ex-Offizier von dreißig. Letzterer war ein entfernter Vetter, und die Beziehung war, soweit man wußte, genauso platonisch wie Nicky's zu Peter Lea.
Der Junge ging hinter den breiten Schultern her, teils voller Neid, teils voller Haß, wobei er unwillentlich den kraftvollen Nacken wahrnahm, die hellen Kräuselhaare und die breiten roten Hände am Ende der weißlichen Unterarme. Daß der Mann, zu allem übrigen, auch noch ein besserer Schütze war als er, bot weiteren Anlaß zur Selbstverachtung.
Am Bau rasten die unabgerichteten Terrier ungestüm umeinander, buddelten und bellten, während die beiden Männer über die meisten Löcher Netze pflockten und vor den anderen eine Schneise für den Schuß ließen. Es war ein herrlicher Herbst-Tag – ein Tag, um Laub und Blätter zu verbrennen, deren blauer Rauch sich in der unbeweglich-scharfen Luft empor ringelte. Die Nachmittags-Frische erinnerte an den Frühmorgen-Frost. Das sanft gewellte, bewaldete Hügel-Land von Kent war gelblich-braun, wo Laubbäume standen, mit den eingestreuten schwarzen Kusseln der Koniferen.
Das Frettchen wurde in eins der Löcher gesteckt, kam sogleich wieder heraus, mit hochgerecktem Kopf und schnuppernder rosafarbener Nase. Es strich am Hang entlang, flink, lautlos, unberechenbar – ein kleiner runder springender hüpfender Wasserfall aus gelbem Fell. Es schliefte wieder ein.

Das übliche Warten.
Nicky wußte, daß er nicht treffen würde, wenn ein Karnickel Kobolz schoß; er wußte es genau. Von dreien traf er höchstens zwei. Der Mann traf fast immer. Wie gewöhnlich war er so verdammt herablassend und überließ Nicky das Gewehr, statt es selber zu nehmen: er, der Anführer, der stets vorausging. Der Junge spannte die betagte Büchse, etwas steif-armig und ungeschickt, was ihn störte. Der Mann, ein exzellenter Schütze, hätte den Hahn erst gespannt, wenn er das Gewehr an der Schulter hatte, kurz vor dem Schuß.
»Verdammt. Ich glaube, es hat sich verrannt.«
Er hielt Ausschau, den Lauf nach unten gerichtet, während der Mann horchend von einem Loch zum anderen ging und zwischen den Lippen zirpte, das Todes-Gequieke eines sterbenden Tiers nachahmend.
»Wir müßten ihm ein Glöckchen umhängen. Oder wir könnten's anleinen. Teufel noch eins: wir haben den Spaten vergessen.«
Er behielt die Löcher im Auge, beobachtete, indes der Mann – einfallsreich, fachmännisch, energiegeladen – mit der flachen Hand auf der Erde Klopfgeräusche machte, was wie das Getrommel eines Rammlers klang. Jetzt haßte er ihn mit vollem Bewußtsein.
Er haßte ihn dafür, daß er mit seiner geliebten Mutter zusammenlebte; daß er in den Augen seiner Mutter in allem und jedem besser war als er selber; daß er die Farm im Griff hatte; daß er all die Dinge so gut und geduldig tat, die er verabscheute: Futter zurechtmachen und Wasser schleppen und Eier einsammeln und die drekkigen stinkenden Ställe ausmisten.
Er haßte ihn, weil er ungebildet war, weil er keine Bücher las und keine Gedichte im Radio hörte und die Farbwerte und Nuancen auf Bildern nicht wahrnahm. Er haßte ihn: den Philister, den eigensinnigen starken Stier, den machtvollen Manns-Kerl, der ihn einhändig spielend hätte erledigen können.
Der Mann legte sich zu Nicky's Füßen auf den Boden und hielt sein Ohr an ein Kaninchenloch. Das Gewehr zeigte ihm genau ins Genick. Ich braucht bloß abzudrücken, dachte er. Niemand würd

wissen, daß es kein Unfall war. Ich könnt sagen, der Abzug wär an einem Zweig hängengeblieben. Bei Jungens kommen solche Unfälle häufig vor. Ich brauch mich bloß dummzustellen. Und minderjährig bin ich auch noch. Minderjährige können sie nicht hängen. Ich könnte tatsächlich mit einem Zweig abdrücken, oder mit dem Knopf an meinem Jacken-Ärmel. Lance hat mal in den Boden geschossen, als er grad sein Gewehr geladen hat. Die glauben doch alle, daß Jungens immerfort Unfälle bauen.

Er legte seinen Finger an den Abzug.

Aber er drückte nicht ab. Er war kein Täter-Typ.

Nicky wäre erstaunt und äußerst überrascht gewesen, wenn er geahnt hätte, daß der Mann ihn gut leiden mochte und insgeheim bewunderte. Wie er so auf der Erde lag und in die Karnickelröhre zirpte – die Büchse war genau auf sein Genick gerichtet –, dachte er, wie hervorragend Nicky doch in der Schule sei, und was er noch alles vor sich hatte, und wie wichtig es war, diese verfluchte Hühnerfarm in Gang zu halten, damit der Junge es zu etwas bringen konnte.

Die Dreißig-Meilen-Jagd

»Meine Herren«, sagte Frosty, diskret hüstelnd, »und Dame, hätte ich sagen sollen. Was ich Ihnen schildern will, ist die Jagd von Scurry und Burstall. Die sonderbarste Jagd, und die längste dazu, wo ich je erlebt habe. Mr. Puffington hat sie damals geführt, eine Verbindung Seiner verstorbenen Lordschaft, ziemlich weitläufig. Der Großvater Seiner Lordschaft heiratete eine Jawleyford, und seine Großtante Amelia Jawleyford heiratete einen Puffington: da lag die Jagd also in der Familie. Der ursprüngliche Puffington jagte in den Fünfzigern in Mangysterne County; kein überragender Meuteführer, beileibe nicht, aber erstaunlich beliebt.

Die alte Miss Amelia war eigentlich nicht sehr für die Fuchsjagd, und der alte Puffington war auch kein geborener Meuteführer. Die beiden gingen nach London und zogen in der Geborgenheit des Belgrave Square eine große Familie auf. Der älteste Sohn ging in die Stadt und fabrizierte Sockenhalter. Es war ein einträgliches Geschäft, und bald hatte der Puffington, von dem ich rede, der Enkel, ein ansehnliches Haus in Scurry Country und ein Stadthaus in Pont Street. Er schlug nach seinem Großvater und wurde Meuteführer von Burstall. Mein Vater hat mich als zweiter Piqueur zu ihm geschickt, als ich noch ein junger Bursche war.

Das war die große Zeit der Füchse, wie Sie wissen, meine Dame und Ihr Herren, eh aus der modernen Welt ein Marionettentheater wurde: horrende Preisgelder, dicke Füchse, instandgehaltene Zäune und nichts wie Reiten den lieben langen Tag. Das war, als man noch nicht zimperlich mit Autos zum Treffen kam, vor der Zeit mit Pferdeboxen und Badesalzen und Umkleide-Zeremonien zum Tee.

Es war meine letzte Jagd mit Burstall: Weil mein Vater mich nach der Lehrzeit zurückholen wollte – ich sollt die Hunde für den F. H. H. führen –, und weil niemand geglaubt hat, was ich erzählte, als ich wieder zu Hause war. Die schienen anzunehmen, daß ich einen gehoben hätte... Hatt ich ja auch. Mußt die Nacht über in einem Wirtshaus bleiben. Aber nach dem, was ich durchgemacht hatte, schien's Trinken die vernünftigste Lösung. Aber ich sollt wohl lieber ganz von vorn anfangen. Mr. Puffington war ein großzügiger Meuteführer, machte seine Jagd-Diener bestens beritten, und ich hatte ein paar Pferde fürs Treffen in Wingfield Abbey, wo's samstags losging. Es war ein famoser Tag für Fährten, bißchen Regen über Nacht, und am Morgen kalte Luft, die die Witterung aus dem Boden holte. Geläuf war gut; nicht zu glatt, denn das Jahr war mild gewesen; und nicht zu schwer, denn es war Anfang der Saison nach einem schönen Sommer. Wir hatten einen guten Start, erstmal; kein großartiger *point*, bloß anderthalb Meilen, wenn man's genau nimmt, aber für die Hunde gut viere, und wir schafften ihn in fünfundzwanzig Minuten. Kurz vorm Ende kam ich an ein Gatter. Der Gaul war nicht grad ein Draufgänger, möcht ich sagen, und ich fürchte, Mr. Puffington hat sich da übers Ohr hauen lassen. Der Zaun war in einer Senke und hatte auf der andern Seite einen schönen Graben. Den Graben sah ich, als ich ran kam, und ich hab Dampf dahinter gemacht, so gut's ging. Ergebnis: wir nahmen die oberste Stange mit, und der Gaul schnaufte und ging nicht so hoch, wie er sollte. Hab keine Ahnung mehr, was auf der andern Seite passiert ist. Irgendwie muß ich Mr. Puffington's Taschenflasche aus dem Sattel gezogen haben, wo er wollte, daß ich sie immer für ihn bei mir haben sollte, und die Mähre kam nicht so recht auf die Beine, während die anderen warteten. Ich hatte mir auch die Hand an was aufgerissen – war wohl'n Hufeisen, und das Pferd lahmte im nächsten Feld rum. Der Mann vom Zwinger meinte, es hätt sich was an der Hinterhand getan. Zum Glück wurde der Fuchs hundert Schritt vor dem *point* gestellt, 'ne Minute später, und dadurch hatt ich Zeit, mit dem Kopf klarzukommen und mich zurechtzufinden. Muß so um zwölf Uhr rum gewesen sein. Da gab's denn dann ein kleines Palaver, und die Leute kamen ran und machten rum, und da war auch mein zweiter Gaul bei. Ich hatt erst später wechseln sollen, aber als ich dem Stallknecht von den Latten erzählt hatte und ihm das Pferd vorgeführt, da haben wir beschlossen, daß ich gleich wechseln sollte. Kaum hatte ich mein Bein über dem Gaul, was ein Brauner war, für so'n Schwergewicht wie Mr. Puffington, da waren sie hinter dem zweiten Fuchs her, aus Yardley's Dickung. Die brachten ihn fix wieder in die Dickung, und gleich wieder raus, ihnen glatt vor der Nase, auf der andern Seite von einem verflixten Zaun, mit einem Oxer auf der einen Seite und einem Draht auf der anderen. Wir konnten alles bestens sehn, aber's wäre Wahnsinn gewesen, da rüber zu springen. Die Hunde kamen feinstens aus der Dickung raus. Halb waren sie schon auf dem Feld, im Schatten des Drahtes, sozusagen, da sprang zwischen ihnen ein Vieh auf wie eine Kreuzung zwischen Wolfsjunge und Braunbär. Ich persönlich, ich hab zuerst gedacht, es wär' ein Hüte-Hund. Da war überhaupt nichts zu machen. Der Meuteführer, der die Meute führte, weil der *Huntsman* Asthma hatte, war auf dieser Seite vom Zaun aufs Feld, und wir Piqueure hatten um die Dickung rum gemacht. Das graue Biest ging gradwegs auf eine Windmühle am Horizont los, und die Hunde hinterdrein, paar Längen dahinter, nachdem sie sich erst berappelt gehabt hatten. Das Geläute war toll. Die ganze Meute ans Gatter und dann auf die Suche nach dem nächsten Tor, was am weitesten Ende von einer großen Koppel war. Danach waren die Hunde nicht mehr zu halten.

Meine Herren, ich will Sie nicht mit der ganzen Jagd langweilen; und könnt ich auch überhaupt nicht, weil ich nicht mehr weiß, wo das war. Wichtig an der Geschichte ist, daß unsre Beute praktisch der Nase nach lief und daß ich der Einzige auf einem frischen Pferde war. Ich möcht annehmen, daß Sie noch nie'n Wolf gejagt haben. Der ging los wie der Deibel und machte Riesensätze, und dadurch kamen die Hunde ein paar Felder weiter wieder auf die Fährte. Dann muß er eine ruhigere Gangart eingeschlagen haben, lief mehr wie'n Mensch, dem man auf den Fersen ist – immerzu gradwegs vor den Verfolgern auf und davon und nix wie weg.

Grad wie'n Mensch«, wiederholte Frosty nachdenklich, und der Professor reichte ihm eine Zigarre.

Die Gräfin sagte: »Ich war der Meinung, der letzte englische Wolf sei im achtzehnten Jahrhundert erlegt worden. Etwa in der Zeit.«

»Durchaus möglich«, entgegnete der Jäger.

»Aber, mein bester Freund«, sagte Mr. Romford kläglich, »entweder war Ihr ›Vieh‹ ein Wolf – oder es war keiner. Und soviel ich weiß, haben Sie ihn erlegt. Da müssen Sie sich schon entscheiden. Präzise ausdrücken. Ist schließlich wichtig. Oder?«

»War schwierig«, sagte Frost-Gesicht, »überhaupt was zu entscheiden. Unsre Beute führte uns zehn Meilen zur Nordsee hin, parallel mit der Themse, vor halber zwei. Ich will nicht so tun, als wär's 'ne rasante Jagd gewesen. Nicht nach der ersten halben Stunde. Die Hunde sind uns einfach durchgegangen. Auf und davon. Wie wir uns so'n bißchen versammelt hatten, und wie ich zum Überlegen kam und merkte, daß ich die Sonne im Rücken hatte, da hab ich mich mit dem Meuteführer und'n paar andern auf die Straße gemacht. Nach'n paar Stunden ritten wir einfach auf der nächsten Straße weiter, die nach Osten zu führte und wo wir mehr oder weniger die Hunde läuten und melden hörten. Da haben wir uns dann denn ganz gut rangehalten. Aber natürlich war's langweilig. Es waren unser bloß noch fünfe oder sechse, und nach zweieinhalb Stunden hatten wir bloß noch ein Ziel: vor Dunkelwerden irgendwie die Hunde wiederzukriegen. Ab und zu hatten wir mal ein Feld, eine Koppel, aber ganz selten, und weiches Geläuf nach dem ewigen Pflaster-Trab. Um zirka viere war's bloß noch der Meuteführer und ich. Der war in einer ganz bösen Laune und brachte seinen Gaul nich' in Handgalopp. Hab ich ihm meinen angeboten, aber er hatte sich schon reingesteigert und war verbiestert, vonwegen daß die Hunde so'n Aufruhr machten, daß er auf nichts mehr hören wollte und mit den Hunden nix mehr am Hut hatte. Gleichzeitig war mir'n bißchen so, wie wenn er jetzt so weit wär', daß es ihn mehr nach Hause zog wie zu seinen Hunden. Hat mir einfach gesagt, ich sollt bloß so weitermachen, und wenn ich sie kriegen tät, sollt ich ihm'n Telegramm aus Dover schicken. Na, mittlerweile war ich ganz schön aufgeregt geworden. So'n Rekord heizt einen jungen Mann ja ganz schön an. Ein toller Spaß war's aber auch wieder nicht, und mein Zosse fing an, sich da und dort zu schonen, na ja, aber ich hab mich wohlgemut weiter auf die Suche gemacht. Als Einziger bei den Hunden zu sein, auf einer historischen Jagd, vielleicht auf der historischsten Jagd aller Zeiten...! Und dann der Fuchs, das Biest, die Beute: der allerletzte Wolf in England! Ich hab hin und her überlegt, wo er bloß hergekommen sein konnte; hab gehofft gehabt, er möcht nicht aus einem Zoo ausgerissen sein oder so was. In der besten Verfassung war er ja wohl nicht, vermutungsweise, sonst hätt er uns einfach stehn gelassen. Aber er hat uns dreißig Meilen weit gezogen. Dann, wie's grad anfing, dunkel zu werden, da wandte sich das Schicksal zu unsern Gunsten. Die Fährte wurde nochmals heiß, eh daß sie verblaßte, der Wolf wurde langsamer, die ausgepowerten Hunde kamen an ihn ran, und zum erstenmal an dem Tag kam ich in Kontakt mit der Meute. Er war noch'n gutes Ende von uns weg, meine Herren, die Dame, aber so ganz allmählich wurd er greifbar. Hab sogar selber seine Witterung aufgenommen: war'n Geruch wie sauer Brot und vergammelte Bananen. Ich glaub ja schon, daß ich die Meute hätt halten sollen – aber's sah aus, als wär er zu packen, na, und ich war jung. Das Ding war mir zu Kopf gestiegen.« Der Jägersmann legte eine Pause ein, um sich mit zitternder Hand seine Zigarette anzuzünden.

»Das Ganze ist mir leibhaft gegenwärtig. Die Liebe und die Dankbarkeit, wo ich für meinen mächtig ausholenden Braunen gefühlt hab, und die Aufregung und die Angst wegen der entschwindenden Beute und des vergehenden Tages, das Gespür, daß jeden Moment was passieren konnte – mit dem Pferd, mit den Hunden, mit dem Wolf, mit dem Tageslicht: die unbeschreibliche Qual des Alles-Möglichen. Na ja, ging dann auch alles zu Ende, beinah innerhalb von fünf Minuten. Zuerst hörte die Witterung auf, grad wie ich den Wolf seh. Bin ich durchgedreht und hab die Hunde hochgehoben, daß sie'n sehen sollten, als hätt ich mein ganzes Leben lang so was gemacht gehabt. Und die waren genauso durchgedreht wie ich, denn die haben sich um mich geschart, wie wenn ich immer schon ihr Meuteführer gewesen wär, und pariert haben sie, wo ich sie anblaffe und hinhetze. In Sichtweite kamen wir, als es fast dunkel wurde, und die Hunde jappsten und jipperten los – da gab mein Gaul auf. An einem Zauntritt blieb er stehn, wo ich ihn rüberbringen wollte, und hat gezittert und gebebt und den Kopf sinken gelassen. Ich ließ ihn stehn und bin wie ein Irrer hinter den Hunden her gelaufen, und dabei haben mir die Sporen in die Knöchel gestochen. Dann schien's schlagartig dunkel zu werden, und dann war da ein Dorf oder Weiler oder Gehöft mit Licht in den Fenstern, und an einer Scheune stand ein Mann und schwang eine Laterne, und die Hunde kläfften aus Leibeskräften –: mit einem melancholischen Heulen dazwischen. An der Scheune hab ich sie entdeckt, wo sie an der Seitenwand hochsprangen wie beim Hindernisrennen in Eton College, und zwei Hunde schienen tot zu sein, und ein grauer Lauf war über den keuchenden Rücken in die Höhe gebogen und zuckte mit entsetzlicher Angst immerzu raus. Das kehlige Geblaffe der Meute im Laternenlicht war wunderbar, wild, wütig-grausam, möcht ich sagen, aber ganz naturgemäß. Mit unglaublicher Brutalität zerrissen sie ihn, zerrten seine Innereien raus, zogen gemeinsam mit den Köpfen und schlingenden Schultern und blutigen Schnauzen. Aber das Schlimmste, meine Herren, das, wo mich meine Stelle bei Burstall gekostet hat, wie ich's gemeldet habe, war: daß der Wolf versuchte, was zu sagen. Über das bestialische Gekläffe erhob sich ein kläglicher und tiefkehliger Laut, ein menschliches Flehen, ein Hilfeschrei – was an Sprechen erinnerte. Der Lauf des Werwolfs, meine Herren, meine Dame, sein Bein, das gebrochen über das Getümmel rausragte, wurde rot, wurde haarlos, zuckte wie ein Froschschenkel: und Challenger, der Herausforderer, der Leithund, trottete außen um den ganzen Zirkus rum – im Maul eine Hand mit menschlichen Fingern.«

Der Professor sagte mit verhaltener Stimme: »Tja, Frosty, da haben Sie wohl den Vogel abgeschossen.«

Der Jägersmann faßte sich freundlich grinsend an die Stirn.

»Ist ja nicht so«, fuhr der Professor fort, »daß ich nicht auch'n

bißchen Jägerlatein auf Lager hätte. Ich könnte eine herrliche Geschichte vom Hunt Cap zu Cheltenham erzählen, wo ein Mr. Siegfried Sassoon einen Gaul namens Pegasus ritt, der disqualifiziert wurde, weil man entdeckte, daß er Flügel hatte..
Aber nach einem Werwolf – was ist das schon?«

Der Liebe verwandt

Die Verteidigung sprach von Epilepsie und moralischer Verantwortlichkeit und davon, ob ihm Art und Ausmaß seiner Handlung bewußt sei. Ist überhaupt jemand für irgendwas verantwortlich? Eigentlich könne man sich nur am ›gesunden Menschenverstand‹ orientieren. Es war ein nicht-übel-aussehender Bursche von einundzwanzig: Typ Rudolpho Valentino. Allerdings verfügte er nicht über die herkömmlich-konventionelle maskuline Schönheit, wie man sie häufig dargestellt findet. Er war kein Gigolo, war nicht eitel, überheblich oder selbstgefällig, und aus seinem guten Aussehn schlug er kein Kapital. Im Grunde hielt er sein Äußeres für weibisch-weichlich und brachte eine geraume Weile mit dem Versuch zu, dies zu ändern. Er verwendete Brillantine, um die Natur-Wellen seiner glatten Haare zu glätten. Jeden Tag übte er zwei Stunden mit dem Expander. Spiegeln ging er aus dem Weg – er vermied es, sich in die Augen zu sehn. Fasziniert war er von Pistolen und Dolchen: er verband sie mit Virilität. Sexuell war er über die Maßen und verzweifelt verklemmt. In Geld-Dingen war er unzuverlässig; eine Haftstrafe wegen Diebstahls war auf Bewährung ausgesetzt. Er wurde als Krimineller betrachtet.

Er hieß Edward Norvic und war Waise. Seine wenigen Freunde nannten ihn Rudy, was ihn anwiderte. Seine Haare waren blond, seine Wimpern jedoch schwarz und lang-geschwungen. In Gestalt ähnelte er Donatellos Statue des heranwachsenden David. (Oder Perseus?) Mitunter stellten ihm ältliche Scoutmasters oder ab-irrende Geistliche nach, und mehr als einmal hatte er, zu seinem Kummer, der Versuchung nachgegeben, obwohl er von Natur aus strikt heterosexuell angelegt war. Doch war er in dieser Hinsicht (wie beim Geld) nicht zuverlässig. Er beklagte seine Schwachheit. Ständig lief er weiblichen Wesen nach, allerdings ohne Zutrauen in sich selbst, ohne sich seiner Anziehungskraft bewußt zu sein, so daß er vermöge dieser Ungewißheit und Unsicherheit bei der Verfolgung seines Zieles erfolglos blieb.

Wenn er schon ein Valentino-Typ war, dann eine verstohlene, einsame, introvertierte Abart dieser Spezies, die über alles Geschlechtliche nachbrütete und es gleichzeitig verabscheute und seine Verlockungen fürchtete.
Die Norvics, seine Adoptiv-Eltern – ein älteres Ehepaar – waren freundlich und unkonformistisch gewesen und hatten ihm gleicherweise Liebe und Bestrafung zuteilwerden lassen: so, daß dies beides sich für ihn unlösbar miteinander verband. Daraus ergaben sich Schwierigkeiten. Ihre Liebe zum ›Guten in ihm‹ vermischte sich mit der Repression dessen, was sie für ›böse‹ und ›schlecht‹ hielten. Wären es boshafte und lieblose Leutchen gewesen, hätte er ihre Moralbegriffe belächeln und ihre Sanktionen verlachen können. Aber sie liebten ihn, und er liebte sie, also akzeptierte er ihre Einstellung und vermochte dennoch nicht, ihr gerecht zu werden. Seine Leidenschaftlichkeit, die ihm und anderen so viel Freude hätte bereiten können, wurde durch Moralvorstellungen verkehrt, die seiner Natur nicht entsprachen – durch Werte, die er nur akzeptierte, weil sie mit Zuneigung dargeboten wurden. Er selber war ja auch liebevoll und zuneigungsfähig. Dabei weder ›clever‹, noch kreativ, noch gebildet. Sein Niveau glich mehr oder weniger jenem von Garth in den Cartoons des *Daily Mirror*. Er war weder stark noch schwach, obgleich er sich für schwächlich hielt. Er begriff nicht, daß er seinen Geboten nicht gerecht werden konnte – weil sie für ihn unerfüllbar waren. Er begriff einzig und allein, daß er ihnen nicht gerecht wurde. Hierdurch wurde er gezwungen, es insgeheim zu tun. Denn er war mit einem Gewissen ausgestattet. Er war gewissermaßen ›zimperlich‹ (oder wie man's nennen will).
All diese Umstände waren für den Richter bei der Verhandlung bedeutungslos, weil sie nicht kodifiziert waren, von den McNaughton-Rules nicht abgedeckt wurden. Als juristisch allenfalls faßbares Klischee blieb übrig, daß er ›moralisch defekt‹ sei.

Am Nachmittag des Mord-Tags radelte Norvic auf seinem Rennrad in den Wald bei Fullerton. Es war sein halber freier Tag.

Bewaffnet war er mit einem Klappmesser oder Stilett: für viel Geld einem Freund bei der Handelsmarine abgekauft, der es aus Neapel mitgebracht hatte; dazu trug er einen altertümlichen Holland-Revolver bei sich, der dreißig Jahre zuvor im Besitz eines Polizei-Offiziers in Indien gewesen war. In seinen sechs Kammern befanden sich drei Schuß moderner Munition. Diese Waffen waren sein Fetisch.

In den Wald fuhr er ohne besonderes Vorhaben. Das heißt: genau genommen verfolgte er zwei Absichten, ohne sich ihrer jedoch bewußt zu sein. Auch dies wieder stimmt nicht ganz genau. Sinn und Zweck des Unternehmens waren Zeitvertreib und sportliche Betätigung – ein bißchen Holzschnitzen oder vielleicht ein ausgedehnter Spaziergang, bei dem er sich möglicherweise einbilden mochte, Anführer eines Kommando-Unternehmens zu sein, oder ein Fallschirmjäger, oder ein Gangster, oder ein Agent irgend welcher Art: zumindest eine bewaffnete Person, athletisch und ohne Hemmungen. Seine unbewußte Hoffnung war – wie wohl meistens die Haupt-Hoffnung der meisten Einundzwanzigjährigen –: einer weiblichen Menschin zu begegnen, sie in Augenschein zu nehmen, sie abzuschätzen und möglicherweise anzusprechen. Aber sein Ziel war nicht Zärtlichkeit, sondern brutale Gewalt. Bei der Verhandlung war die Rede gewesen von der Kenntnis zwischen gut und böse, recht und unrecht. Was allen entging, war der Umstand, daß ihn grad dieses Wissen zum Mörder machte. Die Unbezähmbarkeit seiner Gier beruhte darauf, daß er *zuviel* an ›gut und böse‹ dachte, an ›richtig und falsch‹. Er war der Meinung, es sei nicht recht, Frauen zu liebkosen, also müsse er sie vergewaltigen. Er war wie ein verstopfter, zugestöpselter Vulkan, der nur gewalttätig ausbrechen konnte: eruptiv. Zwar hatte er die Moralbegriffe der Klasse, die ihn adoptiert hatte, akzeptiert – aber befolgen konnte er sie nicht.

Fünf Frauen hatte er in seinem Leben gehabt, darunter drei Minderjährige: mit plumper, unbeholfener, verständnisloser, selbstsüchtiger Inbesitznahme, auf die Beschämung folgte. Immerhin war's mit ihrem Einverständnis geschehen. Eine von ihnen hatte er lustvoll mit einer Weidenrute ausgepeitscht.

Tieren gegenüber war er voller Zuneigung. Seine Grausamkeit hing mit der Sexualität zusammen. Hiervon abgesehen war er weder besonders gut, noch besonders böse –: halt ein verwirrter Jüngling ohne besondere Attraktivität, mit abnormen, doch ziemlich verbreiteten Neigungen, die er sich nicht ausgesucht hatte – eine explosive Mischung, eingedämmt durch Tabus, was sie um so gefährlicher machte – ein, sagen wir, dümmliches und recht gewöhnliches Geschöpf, das wenig hermachte und noch weniger versprach. Ein Durchschnitts-Taugenichts. Aber noch nie zuvor hatte er jemanden ermordet – und aller Wahrscheinlichkeit nach hätte er's auch später nie wieder getan. Alles in allem war er seinen Mitmenschen, so besehen, durchaus nicht un-ähnlich. Seine abstoßenden Züge waren die Lügen, der Eigensinn und die despotische Selbstsucht, wie sie Sechsjährigen eigen ist. Geistig war er kaum älter.

Es war ein funkelnder Frühsommer-Tag; die Blätter der Bäume prangten in jungfräulichem Grün, die Sonnentupfen tanzten auf dem ramponierten Waldboden, der an ein einladendes Gewässer grenzte und von Liebes-Pärchen, Ausflüglern sowie den üblichen Verschmutzern der Ferien- und Freizeit-Plätze frequentiert wurde. Es war eben ein ›Naherholungsgebiet‹.

In einem Graben schloß er sein Fahrrad an einen rohen Zaunpfosten. Versponnen schlenderte und strolchte er zwischen den grünenden Bäumen einher, verwirrt durch seine ihm sündhaft erscheinenden Wollust-Wünsche. Seine Vorstellungen kreisten (wie die von Boswell im gleichen Alter) um den Serail. Die meisten sind nun einmal wie Boswell – nur geben sie's nicht zu.

Mrs. Evans, die Gemeinde-Schwester, war eine nicht mehr junge walisische Witwe mit dem zarten Ansatz eines Oberlippen-Barts. Sie hatte die Form eines Bierfasses mit Säbelbeinen darunter (oder die einer Queen-Anne-Kommode) und war eine gedrungene, korpulente, warmherzige Person mit unverdrossen guter Laune und nicht allzu großer Intelligenz, die jahrein/jahraus, bei Sonne oder Regen oder Schnee oder Gewitter von einer Niederkunft zur nächsten radelte: umgeben von einer Aura der Warmherzigkeit und

Hilfsbereitschaft. Wie viele Dicke hatte sie kleine Füße, was sie befähigte, bei Gemeinde-Veranstaltungen der *British Legion* leichtfüßig und quirlig das Tanzbein zu schwingen. Wie viele häßliche (oder jedenfalls unansehnliche) Frauen war sie weiblich und sittsam und recht adrett. In ihrem kleinen, gemütlichen, aufgeräumten Wohnzimmer verwahrte sie allerlei Nippes-Kram: Porzellanteller mit den Wappen von Bournemouth oder Margate und irdene Suppen-Näpfe in Braun und Grün und Sandgelb mit eingebrannten Aufforderungen wie: ›Noch'n Schlückchen‹ oder ›Setz Dich nieder und Verweil a Weng‹.

Ihrem Mann sel. war sie treu ergeben gewesen, und dieser ihr; aber sie waren kinderlos geblieben. Als ihr Ehegespons, vor sieben Jahren, gestorben war, hatte er ihr das Häuschen vermacht, in dem sie alleine lebte – von einem herzhaften Kotelett dann und wann, einer aufmunternden Tasse Pulver-Kaffee oder Ovaltine und süßem Gebäck; sie schlief gut und lebte bescheiden und sorglos und ließ sich abends nach ihrer anstrengenden Runde von einem fröhlichen Gas-Kaminfeuer wärmen: in trauter Gesellschaft mit ihrer Perserkatze.

Angst hatte sie vor ›Köterchens‹, wenn sie sich auch Mühe gab, freundlich zu ihnen zu sein. Diejenigen, die ihre Schwäche entdeckten (erschnupperten), begegneten ihr mit Verachtung und Feindseligkeit, als sei sie der Briefträger – indes die anderen, die sie mochten, an ihr hochsprangen: eine Annäherung, die sie als Bedrohung empfand. Sie trug eine Amethyst-Brosche in Form einer Glücks-Spinne.

Mrs. Evans fuhr mit ihrem klapprigen Fahrrad auf dem abkürzenden Waldweg nach Fairbourne, mußte des Bewuchses wegen aber bald absteigen und schieben. In Fairbourne hatte sie einen Lähmungs-Fall zu betreuen, einen greisen Rentner. Viel konnte sie für den Alten nicht tun, nur dafür sorgen, daß er saubergehalten wurde und seine Behaglichkeit hatte. Sie besuchte ihn jede Woche. Die beiden waren so etwas wie ›alte Kameraden‹.

Er nannte sie Matty.

Sie dachte nach; über dies und das und jenes; über nichts jeden-

falls, was mit Leidenschaftlichkeit zu tun hatte. Es ging darum, was sie zum Tee essen solle: verlorene Eier oder eine Dose Bratheringe; ob sie ihre Schwester in Aberystwyth dazu überreden könne, ihren Jahres-Urlaub in Fullerton zu verbringen; ob es vielleicht geraten sei, beim Arzt vorbeizuschauen, um für Mrs. Norton Morphium mitzunehmen; ob das Meer bei Capri blau-blaublau war, wie's im Liede hieß; warum – wie allgemein behauptet wurde – anzunehmen sei, daß die Erde sich um die Sonne drehe, wo sie sich doch ganz offensichtlich nicht bewegte; ob sie auch nicht vergessen hatte, für die Katze das Hinterfenster offenzulassen; und wie schade es war, daß all die schönen blauen Glockenblümchen von den Ausflüglern zertrampelt oder abgerissen wurden, die Fairbourne-Church-in-the-Woods heimsuchten.
Als sie den Mann hinter sich gehen hörte, beunruhigte sie das nicht.
Hier herum gab's alleweil allerorten Liebes-Pärchen, und sie war ihnen wohlgesinnt. Warum denn auch nicht, bittschön? Sie waren jung, und der Frühling lag noch in der Luft. Sie kannte die Weise von ›des Jüngleins Begehr‹, und zu ihren Lieblings-Zitaten gehörte der Allgemeinsatz von der ›Liebe als Welten-Bewegerin‹: ›It is Love that Makes the World Go Round‹. Das gehörte zu ihrem Erfahrungsschatz aus der Zeit mit dem sel. Mr. Evans. Unverdrossen schob sie ihr Fahrrad krummbeinig über den holprigen Weg.
Die Schritte hinter ihr blieben: immer im gleichen Abstand. Sie blickte sich beiläufig um.
Außer Hunden (was auf den Widerwillen einer Katzen-Närrin zurückzuführen war) fürchtete sich Mrs. Evans vor nichts und niemandem. Sie war ausgebildete Krankenschwester, für die platzende Adern oder ansteckende Krankheiten oder Chirurgen-Gemetzel keine Schrecken hatten. Mit Fallsüchtigen und Hysterikern und Betrunkenen und sogar Umnachteten kam sie ausgezeichnet zurecht. Sie hatte einmal vier Monate lang in einer privaten Anstalt gearbeitet. Diesmal aber war's etwas anderes – diesmal war's kein ›Patient‹. Es betraf sie selber, sie persönlich, sie als

weibliches Wesen. Junge Leute verwundern sich oft, wollen nicht glauben, daß auch dickliche, ältliche, unansehnliche Frauen sich noch für weiblich halten können. Es mag nicht ganz leicht und auch ein wenig lächerlich sein, sich klarzumachen und vorzustellen, daß die fetten alten Weiber, denen man begegnet, im Herzen vielleicht noch sind, was sie immer waren: züchtige Jungfern oder zarte Träumerinnen oder heimliche Vamps, deren Reize vom Judas ihres Körpers verraten wurden.
Mrs. Evans fing an zu laufen, schob ihr Fahrrad ungestüm durchs hohe Gras des Waldwegs, wo man nicht radeln konnte. Auch Edward Norvic begann zu laufen.
Wäre sie weiterhin im Schritt gegangen, wäre auch er gegangen. Durch ihr Fliehen indessen hatte sie die Rolle eines jagdbaren Wildes übernommen, was ihn dazu zwang, zum Jäger zu werden. Er war schon früher auf ihrer Fährte gewesen. Jagdhunde – Pointers, Vorstehhunde – können ewig reglos vor einer Katze ›stehen‹: wenn aber die Katze wegläuft, müssen sie hinterherlaufen. Solange sie ging, war sie eine füllige matronenhafte Gemeinde-Schwester gewesen. Als sie lief, wurde sie zu einer Frau, einer Verfolgten. Sie war zu seinem Fang geworden – er zu ihrem Fänger. Sie hatte ihre Individualität eingebüßt und war ein Geschlechtswesen geworden. Die Art ihres Laufens, die Bewegung ihrer Hüften, die Neigung ihrer Schultern in der schäbigen Kluft: all dies erinnerte ihn an jede einzelne Eva seit Adams Zeiten, rührte an seine Lenden. Er mußte laufen, als seien sie aneinander festgebunden. Er mußte sie erjagen, fangen, greifen, packen, umfangen, sich auf sie stürzen und unterwerfen. Er hatte nicht die Absicht, sie zu töten. Er mußte sie nur gewaltsam seiner Herrschaft untertan machen.
Mrs. Evans fing an zu schreien, als er sie einfing. Das machte es noch schlimmer. Das gab ihm das Gefühl, sie erwarte, umgebracht zu werden.
Also mußte er sie umbringen.
Man sagt, Mitgefühl sei der Liebe verwandt. Das trifft auch aufs Gegenteil zu: Wildheit kommt ihr eher noch näher.

Die Zelle der zum Tode Verurteilten in jenem Gefängnis lag außerhalb des Haupt-Trakts. Sie war separat im Hof: ein häßliches kleines Gebäude aus zwei Räumen und einem Korridor. Die Gefangenen brachten genau vierundzwanzig Stunden darin zu: morgens um acht wurden sie hereingebracht, und um acht am nächsten Morgen wurden sie gehenkt. Unter den Gefangenen hieß sie die ›End-Zelle‹.

Der kleinere Raum, das ›Wohnzimmer‹, maß ungefähr sechzehn Fuß im Quadrat, also etwa fünf mal fünf Meter. Die Wände dieses ›Lebensraums‹ bestanden aus unpersönlichem dickem Mauerwerk. Die Nordwand bestand zum größten Teil aus einem Milchglasfenster mit Eisenbarren und Gitternetz. Das Gebäude hatte zwei Türen. Eine Tür führte vom Hof herein. Die andere – *exit:* der Ausgang für immer – öffnete sich jedem Gefangenen nur einmal. Sie war verschlossen, drohend, unheilvoll, vom Auge gemieden; sie dominierte die schäbige ungeliebte Kammer mit ihrer unheilvollen Existenz. Vor ihr schreckte jeder Gedanke zurück.

Und doch wurde dieser Raum in gewisser Weise ›geliebt‹ – sobald er seine Funktion erfüllte. Solange er nicht benutzt wurde, war er ein kahler, sauber-gehaltener Kubus, mit einem Fußboden aus fleckenlosen Dielenbrettern, von den entsprechenden Beamten instand gehalten. Für den Delinquenten aber wurde er möbliert. Ja, er wurde sogar mit einer Art reuevoller Zuneigung ausstaffiert – mit einer um Vergebung heischenden Zuvorkommenheit, einem bemühten Komfort. Der Gefängnisdirektor persönlich ließ seinen eigenen Lehnsessel herüberbringen. Für die Beamten der Todeswache waren zwei harte Stühle vorhanden. Ein Tisch stand bereit: für Dame- oder Backgammon- oder Karten-Spiel. Auf den Dielenbrettern lag ein grober Läufer, der sich pathetisch ausnahm. Das Bett hatte saubere Laken und Decken, justament wie in einem Hospital. Es war das Wartezimmer zum Jenseits.

Die Wärter, die mit Norvic in der Todeskammer saßen, waren aufrichtig freundlich: keineswegs diese heruntergekommenen Schließer oder Bullen, wie man sie in den Medien vorgeführt bekommt. Sie hatten gute, zutraulich-lächelnde Gesichter, väterlich

und hilfreich, ähnlich dienstbeflissenen Krankenschwestern in einem Altersheim, die zu persönlicher Aufmerksamkeit und Hilfe bereitstehn.
Einer von ihnen saß immer mit dem Rücken zur Tür, sie so den Blicken entziehend.
Sie plauderten nach bestem Vermögen.
Hinter der Tür lag ein schmaler gefliester Gang, ähnlich dem Vorraum einer öffentlichen Toilette, kaum einen Schritt breit. Jenseits des Korridors, nicht an seinem Ende, nur ein paar Fuß entfernt, war die Tür zu einem anderen Raum. Dieser war größer, wie ein Squash-Platz etwa, oder eine Sporthalle ohne Geräte. Er war viel höher als die Wohnzimmerzelle und solide gemauert, während die Zelle eigentlich nur ein Anbau an der Außenmauer war. Hier gab es keinerlei Mobiliar, ausgenommen zwei feste Vorrichtungen. Die eine war ein Stahlträger mit grauem Filz in der Mitte, von dem drei Seile herabhingen. Das mittlere Seil war an der Schlinge mit Leder eingefaßt und wurde derzeit mittels eines Bindfadens hochgehalten. Die beiden anderen Seile hatten keine Schlingen. Die zweite Vorrichtung war die Falltür unter dem Eisenträger. Sie maß zehn oder zwölf Fuß im Geviert und bestand aus zwei Holzklappen, die außen mit Scharnieren am Boden befestigt waren – ähnlich der Doppeltür einer Scheune: nur, daß sie nicht aufrecht stand, sondern auf der Erde lag. An jeder Klappe war ein Ring. An jedem Ring befand sich ein starker Strick. Bei Nichtgebrauch lagen diese Stricke fein säuberlich aufgerollt, wie Schiffs-Taue, seemännisch korrekt. Derzeit lagen sie rechtwinklig zu den Scharnieren aus. Sie dienten dazu, die Klappen nach der Benutzung wieder hochzuziehen. In der Mitte der Falltür war ein weißer Kreidekreis, in den der Gefangene sich zu stellen hatte. Zu beiden Seiten der Falltür, im rechten Winkel zu ihr, lag eine Bohle, vergleichbar den Brettern, wie sie Maurer und Anstreicher in größerer Höhe verwenden. Diese dienten dem Henker und den beiden Vollzugsbeamten als Plattform, wenn's so weit war, und an den beiden äußeren Seilen (denen ohne Schlinge) konnten sie sich festhalten. Das einzige andere Ausstattungsstück in der leeren, lautlosen

widerhallenden ›Sportstätte‹ war der Hebel, der die Falltür öffnete. Er stand auf dem Fußboden wie ein Hebel-Arm an einem Signalkasten der Eisenbahn, nur kleiner, oder wie die Handbremse eines Oldtimer-Automobils.
Dies also war die ›End-Zelle‹: ein ›Lebensraum‹ oder ›Wohnzimmer‹, und ein ›Sterbezimmer‹ – sonst nichts.

Der Gefängnisdirektor war eine Miniatur-Ausgabe vom Nikolaus, allerdings ohne Backenbart: rotwangig und mit Lachfältchen, fünf-einhalb Fuß groß, gesünder und jünger aussehend als seine fast sechzig Lebensjahre hätten vermuten lassen. Er liebte sein ländlich-abgelegenes Gefängnis. Er liebte es nicht als ›Gefängnis‹, sondern als Einrichtung, die er verbessert hatte; als eine Einrichtung, der er seinen Optimismus und seine gefällige Wesensart bis an die Grenze des Vertretbaren zugewendet hatte. Die Scheußlichkeit der Menschen war verantwortlich für die Scheußlichkeit von Gefängnissen; doch der Direktor glaubte an den Menschen und hatte für beide sein Bestes getan. Der Garten wurde von Gefangenen freiwillig und gern in Ordnung gehalten und liebevoll gepflegt. Mit einem etwas absonderlichen und doch wieder anrührenden Stolz hatten sie den Namen des Gefängnisses in die Buchsbaumhecken des Pfades gestutzt. Die victorianische Fassade war von allen möglichen Schling- und Kletterpflanzen bewuchert, und in Töpfen wuchsen allerlei Ziergewächse. Die Fenstersimse waren farbig getönt, um ihnen ein fröhlicheres Aussehen zu verleihen. Die altmodischen Zellen waren sauber, zentralbeheizt, mit guten Matratzen und Decken versehen, dazu einem Nachtgeschirr und wöchentlich zwei Büchern aus der Gefängnisbibliothek. Für die Gefangenen, die sich gut führten – und das waren nahezu alle –, gab es einen Gemeinschaftsraum, anderthalb Stunden pro Abend, mit einem *dart board* und einem Rundfunkempfänger. Auch tagsüber lebten sie nicht in Einzelhaft. Im Sommer brachen sie Steine auf dem Hof, im Winter hackten sie Brennholz in einem geräumigen Schuppen: gemeinsam und ohne Redeverbot. Das Warmwasser der Dusche war tatsächlich warm, das Essen, auf ausgezeichneten Elektro-Herden bereitet, durchaus zufriedenstellend. In der Gefängniskirche gab es weder Gitter, noch Riegel, noch Handschellen. Viele Jahre lang hatte ein Landstreicher der Gegend an jedem Heiligabend ein Schaufenster eingeworfen, um aus freien Stücken zur Polizeiwache zu gehen und sich zu stellen. Dies tat er, um zu seinem Winter-Urlaub zu kommen – und zum Truthahn-Essen am Weihnachtstag.

Durch dieses ›Heim‹ – denn ein solches war es, mit einer gewissen familiären Atmosphäre und einem eigenen *esprit de corps* – bewegte sich die Dickens-Gestalt des Direktors mit dem Flair eines Patriarchen, der sich genüßlich die Hände rieb und Wohlwollen ausstrahlte. Er war kein Schwächling oder Hampelmann, und niemand übertölpelte ihn. Von einer gewissen Grenze ab konnte er hart sein wie Granit.

Er war mit einem famosen Frauenzimmerchen verheiratet: ebenso apfelwangig wie er selber, und hatte erwachsene Kinder. Es genierte ihn, die Herrschaft über Männer ausüben zu müssen, die man ihrer Freiheit beraubt hatte. Wenn er Besucher durch die Haftanstalt führte, machte er etwas verkrampft wirkende Witze über Verliese und Folterkammern und Madame Tussaud's. Musicals liebte er über alles. Wären er und seine Frau Vögel gewesen, hätte man sie sich gut als Sittiche vorstellen können, die in einem sauberen Käfig frohgemut zwitscherten.

Er hatte noch nie zuvor eine Exekution geleitet.

Zwei Minuten vor acht öffneten der Direktor, der Kaplan, der Arzt, der Henker und die beiden Wärter die Außentür des ›Lebensraums‹.

Die Todeswache stand auf. Edward Norvic stand auf. Es würde neunzig Sekunden dauern.

Der Gefängnisdirektor klopfte Edward Norvic auf die Schulter, drückte ihm mit Wärme und Herzlichkeit und Ermutigung den Arm. Er hatte dafür gesorgt, daß ihm vor dem Frühstück ›etwas gegeben‹ worden war.

Der Kaplan begann zu lesen.

Der Henker fesselte den Gefangenen. Die erbleichenden Wärter nahmen militärische Haltung an und machten eherne Gesichter.
Edward Norvic konstatierte, daß er keine Knochen in den Beinen hatte: stattdessen Sodawasser. Er zitterte wie Espenlaub; doch nicht aus Angst. Er beobachtete sich selber, zitterte unabhängig.
Man stülpte ihm die Kapuze über den Kopf.
Die Tür wurde geöffnet.
Die Tür zu der anderen Kammer, zum ›Operationsraum‹, stand bereits offen. Durch sie schritt oder schlich oder stapfte oder stolperte der kooperative Patient seiner letalen Operation entgegen.
Geschwind ging's auf die Falltür, auf daß in der neuen Umgebung auch nicht der mindeste letzte Lebens-Blick durch die Kapuze möglich würde. Geschwind schlang sich die Schlinge über seinen verhüllten Kopf, schlugen sich die Stricke um seine Beine, die nie wieder laufen würden. Geschwind kam das Zeichen des Direktors.
Der Griff zum Hebel.
Mit dumpfem Klappen ging die Falltür auf, öffnete die getünchten Wände der Grube, zwölf Fuß im Geviert und tief. Wenn das Genick brach, sirrte das Seil. Beide Geräusche jedoch wurden von dem donnernden Klappern übertönt. Das bereits gedehnte Seil gab keinen Laut von sich. Es baumelte und drehte sich. Von Edward Norvic war nichts mehr zu sehen.
Als erstes mußten alle den Raum verlassen. So lautete die Regel. Der Direktor scheuchte sie zur Tür, stieß sie in den Rücken, schob sie hinaus: »Raus! Raus!« Ungeordnet eilten sie durch den schmalen Gang. Jeder warf, flink und verstohlen, einen bestürzenden Blick in die weiße Hölle, die sich im Vorübergehn unter ihnen geöffnet hatte. Das Seil vibrierte.
An der frischen Luft trennten sie sich; mit trockenem Mund und benommenem Kopf. Der Kaplan ging in sein Büro. Der Direktor ging mit dem Arzt auf und ab. Der Henker gesellte sich dem Oberaufseher bei. Die anderen standen umher. Zigaretten wurden angezündet: eine notwendige Erleichterung der Regel. Mit angestrengter Leichtfertigkeit versuchten sie, sich an schmutzige

Witze zu erinnern. Das Reglement schrieb dreißig Minuten vor. Die schmutzigen Witze im hellen Sonnenschein des hochummauerten leeren Hofes waren besser als jedes Spekulieren. Sie waren besser, als darüber nachzudenken, weshalb die Leiche – da das Henken doch den sofortigen Tod herbeiführen sollte – noch eine halbe Stunde lang am Galgen hängen mußte. Besser, als sich zu fragen, weshalb die erste Pflicht des Arztes beim *post mortem* ein kleiner Einschnitt war, um das Rückenmark zu durchtrennen. Es war besser, als darüber nachzudenken, weshalb ein unsachgemäß Gehenkter manchmal schnarchte und ein Herz, wiewohl gehenkt, noch schlug.
Die vorgesehene Frist verstrich, der Direktor und der Arzt stiegen als erste in die Grube, der Exekutierte wurde als vom Leben zum Tode befördert erklärt, alles weitere nahm seinen Lauf. Als dies geschehen und nichts Wißbares vom Geiste Edward Norvics übrig war, kehrte der Gefängnisdirektor in sein eigenes Haus zurück.
Dort, in der Küche, war (wie er erhofft und gewußt hatte) seine Frau im Morgenrock zugange und kochte Kaffee. Sie legte ihm ihre weichen Arme um den Hals. Er drückte sie an sich. Er führte sie nach oben: stumm, drängend, flehend.
Beim Orgasmus trug das Nikolaus-Gesicht einen Ausdruck der Agonie und Blutfülle, der dem Profil des Toten nicht unähnlich war, der zu diesem Zeitpunkt in der Leichenhalle erkaltete.

Weihnacht mit Zigeunern

Am 25. Dezember 1836 nahm ein entschlossenes kleines weibliches Wesen von siebzehn Jahren um neun Uhr das Frühstück ein. Gewöhnlich wachte sie eine halbe oder eine ganze Stunde früher auf, ehe sie aus dem Bett stieg, und brauchte dreißig Minuten zum Ankleiden, so daß wir annehmen dürfen, daß sich die leuchtenden Augen an jenem lange zurückliegenden Weihnachtsmorgen gegen 7.30 öffneten. Für ihre Verhältnisse war das ein bißchen spät. Der Grund hierfür lag darin, daß sie am Heiligabend bis elf Uhr ›aufgeblieben‹ war.

Nach dem Frühstück sprach sie, zusammen mit ihrer Mutter und ihrer Erzieherin, das Morgengebet. Alsdann arrangierte sie ihre neuen Bilder.

Im frühen neunzehnten Jahrhundert überreichte man seine Geschenke nicht am ersten Weihnachtstag. Es wurde am Heiligen Abend ›beschert‹, und zwar mit einem etwas anderen Ritual als heutzutage. Der Christbaum war schon erfunden, doch statt der Strümpfe gab's Gabentische. In allen Räumen des großen Herrenhauses, das unsere Heldin bewohnte und welches nahe Esher an der Portsmouth Road lag, herrschte am 24. Dezember emsige Geschäftigkeit, da die Gabentische mit Geheimnistuerei und Aufregung hergerichtet wurden: einer für Mama, einer für die Erzieherin und einer für das eifrige Mägdelein. Pünktlich um sechs Uhr am Heiligabend hatte Mama alle gerufen, zu ihren Gabentischen in der Galerie zu kommen und ihre Geschenke entgegenzunehmen. Es war schön gewesen, an diesem verschneiten Abend: mit den beiden beleuchteten Tannenbäumen, an denen Zuckerwerk hing, und den Tischen, die sich unter den kleinen Gaben bogen.

Auf dem Gabentisch des Mädchens hatten sich, nach Auskunft ihres Tagebuchs, befunden: ›2 reizende kleine Dresdner Porzellan-Figürchen, 2 Paar reizende kleine ziselierte Goldknöpfe, ein kleiner reizender Goldknopf mit einem Engelskopf, den sie (die Erzieherin) selbst getragen hat, und ein hübsches Musik-Album‹. Alle

diese Geschenke stammten von der Erzieherin. Ihre Mutter hatte ihr geschenkt: ›eine schöne massiv-goldene Schnalle aus zwei Schlangen; ein bezauberndes Goldkettchen mit einer Türkis-Schließe; von der liebsten Tante Louise eine reizende kolorierte Skizze von Partridge, Kopie eines Bildes, das er mitgebracht hatte, und ihr so ähnlich; 3 hübsche Zeichnungen von Munn, ein reizvolles See-Stück von Purser und ein schönes Rinder-Bild von Cooper (allesamt farbig); 3 Drucke; ein Buch mit dem Titel *Finden's Tableaux, Heath's Picturesque Annual for 1837,* beide sehr hübsch; *Friendship's Offering* und *The English Annual for 1837, The Holy Land,* hübsch illustriert; zwei Taschentücher; eine sehr hübsche schwarze Atlas-Schürze, mit rotem Samt gesäumt; und zwei Almanache‹.
Auf Grund all dieser Aufregungen war sie lange aufgeblieben und am Weihnachtstag spät aufgestanden. Und diese neuen Bilder brachte sie jetzt nach dem Morgengebet an. Das Herrenhaus, in dem sie ihre Bilder aufhängte, war von Sir John Vanbrugh erbaut und vom Duke of Newcastle gekauft worden. Später hatte es dem berühmten Lord Clive gehört. William Kent und Capability Brown hatten die Anlagen – jetzt zur Bebauung parzelliert – geplant, und an jenem fraglichen Morgen war der burgartige Aussichts-Turm auf einer Anhöhe in der Nähe des Hauses mit Eiszapfen behangen wie ein Kristall-Lüster.
In einer flachen Waldschlucht außerhalb des Parks von Portsmouth befand sich ein Zigeunerlager.
Das Zelt sah aus wie das arg ramponierte Dach eines schäbigen Zwillingskinderwagens und war von den üblichen geheimnisvollen Überresten der Romanis umgeben – alten Flaschen, Metallteilen, weggeworfenen Kleidungsstücken und einzelnen, in den Hekken angebundenen Tuchfetzen: vermutlich Geheimzeichen für spätere Ankömmlinge... Dieses einzelne Zelt stand in der Landschaft von Surrey herum wie ein betrunkener Tramp bei einer weißen Hochzeit.
Denn es schneite weiter. Es war eine bitterkalte Nacht gewesen, und es war ein bitterkalter Morgen. In der ausgebleichten, eisigen,

knirschenden Reinheit wirkte die schmierig-schlampige und verwahrloste Unordnung der Zeltplane und verbogenen Pfähle freudlos finster. Der frische Schnee und der Schmutz der Abfälle bildeten einen kuriosen Kontrast.

Vor dem Zelt kauerte Mister Cooper in der Hocke, der *pater familias* des Stammes, und ging beim Holzfeuer irgend welchen dunklen Tätigkeiten nach. Der blaue Rauch stieg steil in den Feldgrau-Himmel auf. Vielleicht zog der Zigeuner einen gewilderten Hasen ab; vielleicht flickte er einen Kessel; vielleicht schnitzte er einen Stock, um seine Frau oder seine Großmutter zu verprügeln; vielleicht machte er eine Falle oder einen Bratspieß oder irgend etwas Ausgefallenes für Pferde. Ein melancholisch dreinblickender, sonst aber annehmbar aussehender Wallach mit entzündeten Beinen stand im Freien. Die flinken, fleißigen, zielstrebig-geheimnisvollen Bewegungen von Mister Cooper machten es unmöglich, Sinn und Zweck seines Tuns zu ergründen. Er war ein mageres, hageres, spärlich bekleidetes, wendiges Männchen mit blitzenden Augen und einer Pfauenfeder am Hut.

Tante Sarah, die gegenüber dem Haushaltsvorstand hockte, rauchte Rolltabak in einer zerbrochenen Tonpfeife, während sie sich quengelnd über den Frost beklagte. Sie hatte einen Kapotthut auf.

Vor dem niedrigen Eingang des Zelts, das einer aus alten Regenschirmen erbauten Nissen-Hütte nicht unähnlich sah, stand ein richtiges Märchen-Mädchen. Sie trug einen Strohhut, wie man ihn zu Rowlandsons Zeiten zur Ernte zu tragen pflegte, einen karierten Schotten-Shawl, einen Rock und wenig weiter. Bernsteinfarben, dunkelhaarig, nußäugig, schlank, rank, gerundet, stark, sanft, glatt, zwanzig Jahre alt, mit klassischen Zügen, feuersprühend – so stand sie aufrecht am Zelt-Eingang, ein Baby an der bloßen braunen Brust. Des Babys Augen – wie Backpflaumen in dem dicken dunklen Gesichtchen – schweiften wahllos im Universum umher und meditierten über Milch. Sie waren wie suppenfarbene Such-Scheinwerfer, auf nichts gerichtet.

Ein Windhund – Kopf und Rute der Rasse gemäß schön geschwun-

gen und doch armsünderhaft zugleich – stand fröstelnd im Schnee; seine langen grimmigen Lefzen spielten mit Karnickel-Gedanken.
Wer waren diese Leute? 1836 verkaufte George Borrow, der Schriftsteller und Zigeuner-Freund, die Bibel in Spanien. Jasper Petulengro, seine Hauptfigur, mußte so auf vierzig zugehen; seine Eltern waren beide verschleppt, *bitchadey parodel*, und tot. Vielleicht waren die Coopers mit der Schwiegermutter von Borrows Pharao verwandt, jener furchterregenden Alten, deren Schlachtruf lautete: »Ich heiße Herne, un ich komm von den Haarigen her!« Auf jeden Fall konnten sie – sintemalen die meisten Zigeuner jener Zeit einander kannten – mit vielen Gestalten aus Borrows *Lavengro* persönlich bekannt gewesen sein. Vielleicht sind sie dem Flaming Tinman höchstselbst begegnet und könnten sogar von Isopel Berners eingeschüchtert gewesen sein, dem man beigebracht hatte, ›*I love*‹ auf armenisch zu konjugieren.
Im Augenblick ging's bei ihnen um Höheres als sogar der Pharao angestrebt hatte – obwohl zugegeben werden muß, daß Letzterer als alter Mann in Borrows *Wild Wales* gerüchteweise zum Friedensrichter und Vize-Forstwart von Windsor Park gemacht worden sein soll.
Der amtlichen Familiengeschichte nach, wie sie unserer Heldin dargelegt wurde, war die Bronce-Venus mit dem Baby an der Brust Mistress Cooper; sie hatte das Kindchen vor ungefähr drei Wochen im Lager geboren, und sie brauchten äußerst dringend Brennstoff und Nahrung.
Mister Cooper nebst Familie kümmerte sich nicht im mindesten darum, wer der Eigentümer des Hauses war, in dessen Nähe sie sich niedergelassen hatten, und, um aufrichtig zu sein: die eigentliche Besitzerin kümmerte sich eigentlich nicht einmal darum, wer sie selber sein mochte. Zweifellos machten sich die wachsamen Angehörigen von Mister Cooper mit zahlreichen Borrowschen Ausrufen wie: »*Shoon, thimble-engro, avella gorgio*« (»Obacht, Fingerhut-Flicker, hier kommt ein Nicht-Zigeuner«) oder: »*Dosta, tiny tawny*« (»Genug, Kleines«) oder: »*morts, mards and*

mumpings« (»Frauen, Ehemänner und Vagabunden«) gegenseitig aufmerksam, als eine kleine Kavalkade zögernd auf der Szene erschien.

Drei Lakeien in voller Livree, mit Scharlach-Röcken, Gold-Paspelierungen, Wildleder-Breeches und wackligen Waden, stapften geziert und verächtlich durch den Schnee.
Wie die drei Weisen aus dem Morgenland brachten sie ihre Gaben: Brennstoff, Suppe und Kleidung. Sie waren Cockneys, und sie bildeten sich ein, alles über diesen Mister Cooper zu wissen; ihre Seidenstrümpfe waren nicht nur durchnäßt, sondern steifgefroren; sie setzten die garstigen Gaben geringschätzig ab und traten den Rückzug an, stelzten durch den Schnee und ließen etliche Bemerkungen nach Sam Wellers Art fallen, die nicht sehr vornehm klangen.
Herrschte Spannung im Zigeunerlager, so fehlte es auch im Herrschaftshaus nicht an Aufregung.
Was, ja, was fing man mit Vagabunden an? Die Erzieherin meinte, es sei absolut falsch, Leute zu unterstützen, die nicht arbeiteten. Es bedeute, sagte sie, ›eine Notlage zu fördern‹. Je mehr man Schwachen gebe, weil sie schwach seien, desto mehr ermutige man sie, hilflos zu sein. Sie war eine resolute, knochige Frauens-Person mit Habichts- oder Ameisenbär-Nase und einem treuen Herzen. Während sie dies sagte, suchte sie die ganze Zeit in einem alten *portemanteau*, in dem sie eine wollene Strickjacke vermutete, die dem Baby zupasse kommen könnte.
Mama sagte: »Ja«, aber in ihrer Position war's Pflicht, den Armen beizustehen. Die Frage lautete: wieviel? Sie war nur allzu gerne bereit, Decken hinauszuschicken, doch: wie viele Decken? Wie viele Decken hatte man auf einem Bett?
Unsre Heldin machte einen Vorschlag. »Acht?«
»Nein, nein, nie und nimmer mehr als vier.«
»Was ist eine Decke?«
»Es ist das haarige Ding obendrauf, glaub ich, nicht die Bettdecke.«

»Ja, aber dann doch nur eine?«
»Mein Liebes: ich weiß nicht, wie viele. Vielleicht nur eine.«
»Müßte man die waschen?«
»Dann zwei«, sagte unsre Heldin. »Eine zum Benutzen und eine zum Waschen. Heißt das, die Armen zu ermutigen?«
Niemand schien diesbezüglich eine feste Vorstellung zu haben.
»Zwei«, sagte sie.
Ihre ein wenig verwirrte Mutter erklärte rechtfertigend: »Ich habe Suppe und Brennstoff geschickt, meine Liebe. Sir John hätte uns bestimmt sagen können, was wir tun müßten.«
Es war jetzt zwei Uhr – Zeit für die Expedition. In der Kutsche saßen: unsere Heldin, ihre Halbschwester Victoire und die Erzieherin. Brühe, Brennstoff und zwei Decken – was diesen Unschuldigen mittlerweile die angemessene Anzahl zu sein schien – waren im voraus bereitgestellt worden. Die Erzieherin hatte das Wolljäckchen gefunden. Unsre Heldin hielt in frierenden vorsichtigen Pfötchen den Betrag von einer Guinea. Bei ihrer Kenntnis der Münzen des Königreichs hätt's genauso gut ein Penny sein können.

Die Coopers waren für ihre Besucher bereit.
Als die hohen Räder der Kutsche durch den Schnee ins Lager knirschten, rüstete sich der patriarchalische Trupp wie ein Tableau von Bethlehem zum Empfang.
Mister Cooper ließ mit allerlei untertäniger Schnörkelei den Kutsch-Tritt herab.
Er sagte: »Beste Gesundheit Ihnen, werthe Dame.«
Unsere Heldin, weniger umschweifig, fragte:
»Wie geht's dem Baby?«
»Dem *chabo* gehen wohl, werthes wohlgeborenes Fräulein.«
»Und wie geht's der Mutter?«
»Danke der gütigen Nachfrage, Fräulein Hochgeboren. Der Mutter gehen auch gut.«
Die beiden Gruppen standen einander gegenüber, wie weiland die Könige aus dem Morgenland vor der Familienszene an der Krippe

gestanden haben mochten, und auch über diesem Zusammentreffen lag auf beiden Seiten eine Spur von Ehrfurcht und Scheu. Die Nomaden-Mutter hegte ehrfurchtsvolle Scheu vor der Großartigkeit ihrer Besucher, verbunden mit einer gewissen Herausforderung, einer wilden Verteidigungsbereitschaft, wie sie eine Tigerin mit ihrem Jungen zeigen mochte. Hinzu kam die verschlagene Schläue einer Füchsin und die Schönheit Ägyptens – die Schönheit einer königlichen Erscheinung, die Antony einst mit ›Ägypten‹ tituliert hatte. Auch fehlte nicht der Stolz der Mutterschaft.

Diese Mutterschaft nun flößte unserer Heldin scheue Ehrfurcht ein, auch Neid, dazu eine Spur Heldenverehrung. So schön zu sein, so braun, so tapfer, so frei, so voller Geheimnis! Ihrer eigenen Bedeutung war sie sich wohl bewußt – ohne es sich einzugestehn –, aber dies hier war eine andere Bedeutung, höher als ihre Mädchenhaftigkeit. Sie sah die Zigeunerin an, die *mort*, mit schüchtern-zärtlichem Respekt und heimlichem Verlangen. Sie hielt dem Säugling einen Finger hin.

Mit einer dreisten und zugleich verschämten Gebärde schob die Mutter ihren Shawl weiter zurück und bot ihr das winzige Seestern-Händchen dar, das sich um den Finger schloß. Das Baby-Mäulchen blubberte Bläschen. Mister Cooper blickte geringschätzig drein, während die Frauensleute gurrten. Weibsvolk, dachte er: die *gorgios* waren noch schlimmer als seine eigenen.

Die Expedition indessen war mit einem weiteren Anliegen gekommen, nicht nur zur Kinds-Anbetung. Die drei Damen in der Kutsche hatten sich von Sir John Conroy häufig sagen lassen müssen, Wahrsagerei sei Gewäsch. Ergeben hatten sie beigepflichtet, daß sie nicht nur Gewäsch sei, sondern regelrecht verwerflich, da in der Bibel ausdrücklich verboten. Und, ja, sie wüßten sehr wohl, daß es sich um Humbug handle. Also waren sie – weibliche Logik – hergekommen, um sich wahrsagen zu lassen, dies aber, besonders vor Sir John, geheimzuhalten.

Als letzte ließ unsre Heldin ihre Hand sehen. Mit welchen Mutmaßungen sie sie ausstreckte, mit welchem Bangen und welch geheimen Hoffnungen und auch welch gebieterischer Entschieden-

heit! Sie war ringlos, weiß, glatt, kurzfingrig, nach vorne schmaler werdend, mit Grübchen statt Knöcheln.
Mister Cooper *chie*, die Venus seiner Jünglings-Jahre, war von Mister Cooper natürlich in den exakten Worten ihrer königlichen Prophezeiung – ihrem *dukkeripen* – unterwiesen worden. Alle hofften auf wenigstens einen *bull* (fünf Shillings).
Doch zwischen den Augen der beiden Jungen – der Mutter und dem Mädchen – hatte ein Blick geblitzt, ein Zeichen des Erkennens und der Zuneigung, durch das die eine die andere liebte und ihre heiligste Hoffnung respektierte und wußte, weshalb. Mit einem Klimpern der Armreifen, ohne den Säugling im Shawl zu stören, mit einem Wirbeln des ausgefransten Rocks und einer geschwinden und beherrschten Ergebenheits-Geste wurde die Grübchen-Hand zuerst an Ägyptens Stirn gedrückt, und dann senkte sich die Stirn mit hoheitsvoller Anmut zum Kutschen-Tritt hernieder, wo sie für einen Augenblick der Huldigung über dem kreuzgeknöpften Atlas-Slipper der jungfräulichen Decken-Trägerin verharrte.
Kein Wort wurde gesprochen. Einen Herzschlag lang währte dieser Augenblick. Dann löste sich alles, wie wenn vereinbart, aus der starren Haltung. Die Venus erhob sich, die warme Guinea wurde in das winzige Seestern-Händchen gedrückt, das sie umklammerte, Mister Cooper riß sich den Pfauenfederhut vom Kopf, und der Kutscher trieb, ohne angewiesen worden zu sein, mit Peitschenschlagen seine glänzenden, dampfenden, klingelnden Pferde durch den Schnee.

An diesem Weihnachtsabend erinnerte sich unsere siebzehnjährige Wohltäterin, ehe sie zu Bett ging, ihres Tagebuchs. ›Ich kann nicht sagen, wie glücklich ich bin‹, schrieb sie, ›daß diese armen Wesen unterstützt werden, denn es sind solch nette Zigeuner, so ruhig, so liebvoll zueinand, so zurückhaltend, so überhaupt nicht aufdringlich oder gradzu, und so dankbar; gar nicht wie diese schwatzhaften Wahrsage-Zigeuner; und dies ist so ein besonderer und anrührender Fall. Daß die unterstützt werden, macht mich heute ganz fröhlich und glücklich, denn gestern abend, wie ich in der kalten Nacht geborgen und glücklich daheim gewesen bin, und heute, wo es so geschneit hat und alles weiß ausgesehen, da war ich unglücklich und habe Kummer gehabt, weil unsere armen Zigeunerfreunde Not litten in der Kälten; und heute werde ich glücklich zu Bette gehn, weil ich weiß, daß sie es leichter haben und es ihnen besser geht ...‹

Daraufhin ging sie zu Bett – mit dem angenehmen Gefühl, eine Heldentat vollbracht zu haben – und war schon, wie üblich, fast eingeschlafen, ehe ihr Kopf noch das Kissen berührte. Nur in St.-Leonard's-on-Sea schlief sie schlecht: das lag am Stöhnen des Meeres. Doch bevor sie in ihrem behaglichen Nest einschlummerte – beim gemütlichen safranfarbenen Licht des Kohlefeuers, das auf den Toilettentisch leuchtete (›weiße Musselin-Decke über Rosarot, und all meine Silber-Sachen stehen drauf, dazu ein hübscher neuer Spiegel‹) –, mochten ihr die Farben und die Musik und die Erwartungen einer Debutantin kurz durchs Köpfchen mit seinen festen Papier-Lockenwicklern gewirbelt sein. Vielleicht auch ihrer Mutter ›lieber kleiner Papagei von grüner Farbe mit einem blaß-braunen Köpfchen, derart zahm, daß Mamma ihn auf den Finger nehmen konnte, von wo er nicht wieder weg wollte. Er ist nicht so sehr seines feinen Gefieders wegen bemerkenswert, sondern wegen seiner großen Zahmheit. Auch spricht er, sagt der Mann.‹

Dachte sie an den Papagei, würde sie auch an ihre eigene ›ergötzliche *Lory*‹ denken, ›die so zahm ist, daß sie auf der Hand sitzen bleibt und man ihr den Finger in den Schnabel stecken und alles mögliche mit ihr tun kann, ohne daß sie auch nur versucht zu beißen.‹ Er war ›größer als Mammas grauer Papagei und hat das allerfeinste Gefieder; es ist scharlach, blau, braun, gelb und purpurn‹.

Besuchten ihre Träume sie jedoch in Form von Musik, dann dürfte es die Musik von Rossini, Bellini, Donizetti und anderen Meistern der italienischen Schule gewesen sein, die Monsieur Lablache, ihr geliebter Musiklehrer, so bewunderte, er, dessen Zungenfertigkeit

und Redegewandtheit einzig war: ›er kann solche Mengen Worte sagen – und mit solchem Tempo!‹ Musik hatte sie ausgesprochen gern, wenn ihr Geschmack auch nicht recht ausgebildet war. Händel, zum Beispiel, fand sie ›sehr schwer und ermüdend‹.
Wenn sie aber mit sanften Gedanken der Zuneigung ins Traumland sank – wer vermöchte da zu sagen, wovon sie mit siebzehn träumte?
Vielleicht von ihrer geliebten Erzieherin, ihrer ›besten und treusten Freundin‹, die sie ›seit fast siebzehn Jahren‹ kannte und die sie ›noch dreißig oder vierzig und viele viele weitere Jahre‹ behalten wollte. Vielleicht von Monsieur Lablache, diesem netten, gutwilligen, gutgelaunten, geduldigen und ausgezeichneten Lehrer, der ›auch so lustig‹ war.
Vielleicht von ihren diversen Cousins, deren einen man ihr möglicherweise als Ehegemahl zugedacht hatte. ›So sehr ich Ferdinand liebe, und den guten Augustus auch, so liebe ich Ernest und Albert *mehr* als sie, oh ja, VIEL mehr‹. Ebenso gut mochten ihre letzten Wach-Gedanken auch ihrem Pony *Rosa* gelten (›die SÜSSE KLEINE ROSY trabte HERRLICH!‹) oder ihrem King-Charles-Spaniel, dem geliebten *Dashy*.
Am allerwahrscheinlichsten jedoch galten die Träume den Zigeunern, *ihren* Zigeunern – ›Für *mein* Gefühl der schönste Schmuck von Portsmouth Road... Sie sind glücklich und dankbar, und wir haben ihnen Gutes getan. Ort und Stelle mögen in Vergessenheit geraten, aber die Zigeunerfamilie Cooper wird mir niemals aus dem Gedächtnis schwinden!‹
Das taten sie auch nicht. In späteren Jahren war sie stets für die Romanis eingenommen, was das Gerücht bezeugt, sie habe Petulengro zum Vize-Forstwart von Windsor Park ernannt. Auch war das *dukkerin* jener dunklen Sibylle durchaus nicht schlecht, die ihr die Hand geküßt hatte. Denn nur drei Monate nach diesem glückseligen und erregenden Weihnachtstag 1836 weckte der Erzbischof von Canterbury unser träumendes Mädchen um sechs Uhr in der Früh, um ihr mitzuteilen, sie sei nun Queen Victoria.

Der Philister fluchte David bei seinem Gott

»Seines Vaters Großvater mütterlicherseits«, sagte Mary, »war ein Squire aus Yorkshire namens Hance. Durch seine Geburt fiel ihm – von der weiblichen Linie her – ein generöses Erbe zu; er war der älteste von vier Brüdern; aber er war nur siebenundzwanzig Zoll groß.«

»Soll dies«, fragte der Professor, »ein Plagiat von Huxley werden?«

»Nicht ganz«, sagte Mary. »Das Problem ist anders gelagert. Ja, eigentlich ist's ein Problem, das einen Titel verlangt, und ich werde die Geschichte nennen: ›Der Philister verfluchte David bei seinem Gott‹.* Das Dilemma wird Ihnen im Verlauf der Erzählung noch aufgehn.«

»Wü so'n blödes Gesöllschaftsspül«, sagte Facey hinter vorgehaltener Hand und zu Soapey und dachte an ein Spielchen, das niemand spielen würde. Miss Springwheat ignorierte die Unterbrechung.

»Mein Urgroßvater gedieh im frühen neunzehnten Jahrhundert – zur Zeit von Osbaldeston und Lord George Bentinck und des Coke of Norfolk. Um seine Geschichte zu verstehen, ist etwas Hintergrund-Wissen erforderlich, und so werden Sie mir verzeihen, wenn ich historisch ein wenig aushole. Das frühe neunzehnte Jahrhundert ist eine Periode, die mich mehr als jede andere fasziniert. Sie war nie ›in Mode‹, weil zu kurz und wohl auch zu sonderbar, um einen ›Kult‹ hervorzubringen oder zu hinterlassen. Alles Elizabethanische und Georgianische und Victorianische wurde von fleißigen Kulturbeflissenen aufgegriffen und gefördert, doch ist niemandem eingefallen, der Aera von William the Fourth einen ähnlichen Gedenkstein zu errichten. Warum nicht? Weil die Pe-

* Im Englischen liegt hier ein Wortspiel vor mit ›gods = Göttern‹ und ›guts = Mumm‹. Im deutschen Samuel-Vers ist das leider nicht nachzuvollziehen. (A. d. Ü.)

riode zu kurz war. Sie stellte mehr eine Übergangs-Zeit dar, individuell und verwickelt, doch mit einem berauschenden Bouquet. Es duftete zart nach Regency, leicht nach Mahagoni – vor allem jedoch roch's nach Landluft.
Ich weiß nicht, wie ich's erklären soll. Oder wie ich die Besonderheiten beschreiben könnte. Denken Sie an Schießen und Jagen und Boxen und Wetten und Mesalliancen und Portwein.
Ich glaube, das Wetten ist das Wichtigste. Jeder wettete mit jedem um jedes, und fast alle ruinierten sich. Weshalb diese Wetterei? Nun wohl: vermutlich wetteten sie, um bis zu einem gewissen Grad der Langeweile zu entfliehen. Prinny, zum Beispiel, wettete wegen der Fliegen an einer verregneten Fensterscheibe, weil man sonst nichts zu tun hatte. Die Fortbewegungsmöglichkeiten waren gering und langsam; man war – wo man sich gerade befand – mehr oder weniger festgenagelt; so bedurfte man der Gesellschaftsspiele und der Örtlichkeiten, wo man sie spielen konnte.
Wetten tat man in den Clubs. Die Anglesey Stakes zu Goodwood definierten einen *Gentleman Rider* als Mitglied von White's, Brooke's oder einer der anderen sechs Bruderschaften. Es war eine primitive Definition, doch traf sie den Kern der Sache. Jedermann, der sich für einen Herrn Gentleman hielt, gehörte einem Club an, und im Club büßte er sein Geld ein.
Das eigentliche Motiv der Wetter aber war etwas anderes als Langeweile. Es war eine spezielle Phobie – zu jener Zeit stark ausgeprägt und weit verbreitet. Es ging um Mut.
Als Henry Mytton über das Parkgitter sprang oder seine Frau in den Zwinger sperrte oder mit gebrochenem Arm auf die Jagd ritt, da war das eine Frage der Courage. Mit fanatischem Eifer bewies er Tapferkeit und Ausdauer und forderte dazu heraus. Durchhaltevermögen war für ihn das Wichtigste auf der Welt. Vielleicht kam das daher, weil sie im achtzehnten Jahrhundert so viel auszuhalten hatten. Denken Sie an den Loblolly-Mann, der einen in See-Kriegen bei der Amputation ohne Anästhesie festhielt; oder an die Schuljungen, die sich in Eton umbrachten; oder an die Rute von Dr. Keate. Wildheit, Mut, Ausdauer. Das waren die Modernismen

des Jahrhunderts. Osbaldeston wettete, er werde zweihundert Meilen in zehn Stunden reiten, und er schaffte sie in weniger als neun. Das ist das allerbeste Beispiel: dadurch wurde er zum ersten Mann des Landes. Die Nation huldigte ihm und nannte ihn den Squire of England. Warum? Weil er Ausdauer und Stehvermögen bewiesen hatte – und, was das Geld angeht, finanziellen Wagemut.

Sehen Sie: Die Menschen wetteten wegen Wagemut. Sie wollten beweisen, daß sie keine Angst vorm Verlieren hatten. Sie wollten mutig und tapfer sein, allem und jedem gegenüber: auch dem Wagnis, dem Hazard. England war ein zweites Sparta. Henry Mytton verbrannte sich, um zu zeigen, daß er körperliche Schmerzen zu ertragen vermöge; Osbaldeston wurde von Sir James Musgrave angesprungen, lag auf dem Boden, der Stiefel war voll Blut, die Knochen stachen durch die Haut hervor, und da meinte er: ›So ein Pech, werd's Jagen vielleicht aufgeben‹, und tat's dann doch nicht; ein Mitglied des Portland Club spielte ohne Pause vierundzwanzig Stunden lang Billard; ein Mann namens Baker marschierte an einem Tag fünfundsechzig Meilen, und zweitausend in zweiundvierzig Tagen; ein Mr. T. aus Kensington wettete 150 Guineas, er wolle sein Tandem in vollem Tempo gegen die Räder der ersten sieben Fahrzeuge fahren, denen er auf der Brentford Road begegnete, und er gewann in fünfundzwanzig Minuten. Stellen Sie sich vor, heute wollte ein Motorist sich erbötig zeigen, mit seinem Auto gegen die ersten sieben Wagen auf der Great North Road fahren! Heller Wahnsinn. Und doch ist's ein Irrsinn, der einen gewissen Reiz besitzt, wenn man's versteht. Es war der Wahnsinn der Ausdauer und des Mutes; und es war ein Wahnwitz darüber hinaus. Diese Wahnwitzigen waren Individualisten. Das ist vielleicht der wichtigste Aspekt.

In der ersten Hälfte des neunzehnten Jahrhunderts war ein Gentleman jemand, der *per se* existierte. Er lebte ganz eindeutig in seiner eigenen Welt und war in ihr absolut allein. Das trifft zwar auf jeden in jedem Jahrhundert zu, doch mußte erst ein früher Victorianer der Wahrheit auf die Spur kommen. Sobald dies klargestellt war, entwickelte sich daraus natürlich eine bestimmte Geisteshaltung. Osbaldeston wußte, daß er allein war, wußte, daß ihm als einziger Zufluchtsort, den er wirklich besaß, allein sein fester kleiner Körper blieb. Er hatte Äcker und Häuser und Kleider, den Körper drein zu gewanden – aber das waren, abschließend und genau genommen, bloß Putz- und Schmuckstücke. Er war ein nacktes männliches Wesen, etwas über fünf Fuß groß, um die elf *stone* schwer: den *stone* zu 14 *pounds* gerechnet. Das war seine Waffe in einer feindseligen und häufig schmerzenden Welt. Im wahren Wortsinn ›schmerzhaft‹: man denke nur an den Mangel von Betäubungsmitteln, an den Feld-Wald-und-Wiesen-Dentisten und die Aktivitäten von Dr. Keate.

Nun wohl: Diese eine Waffe war bereit zu reagieren. Sie mußte den Feindseligkeiten und Schmerzen begegnen. Sie mußte fähig und imstande sein, sie in seiner eigenen Person zu besiegen – ohne die Äcker und die Kleider. Deshalb lernten Edelleute boxen; deshalb war der Faustkampf eine noble Kunst. Physisch und individuell – als ein besonderer, einzelner und (bildlich gesprochen) nackter Mensch – wappnete sich der Gentleman des frühen neunzehnten Jahrhunderts gegen das Universum und rüstete zum Sieg. Man mußte auf sich selber setzen; man mußte in der Lage sein, auf den eigenen Füßen zu stehen und was herzumachen. Das Wetten stellte eine Bestätigung der eigenen Person dar, war eine Kampf-Ansage an die Welt um einen her, eine Herausforderung der prügelnden Autoritäten und der übelwollenden Götter. Mr. T. aus Kensington war ein Mann, der das Schicksal nicht fürchtete. Er glaubte an sich selbst. Seine spartanische Tapferkeit, sein physischer Mut und seine Ausdauer waren im Grunde eine Verteidigung des Individuums, der Individualität.

Und was für Persönlichkeiten waren das! James Hirst von Rawcliffe pflegte mit Badsworth auf einem Stier zu jagen und hatte eine schwarze Sau zum Stellen des Wildes abgerichtet. Sie bewährte sich ausgezeichnet bei Rebhühnern, Fasanen, Schwarzwild, Schnepfen und Kaninchen, doch stand sie nie einem Hasen vor. Ein gewisser Mr. Ireland wettete mit einem gewissen Mr. Jones,

daß er hundert Yards in weniger als dreißig Hüpfern bewältigen könne, und schaffte es in einundzwanzig. Kaum überraschen dürfte, daß Rev. Robert Lowe, der sportliche Pastor von Nottinghamshire, zwei Töchter mit roten Augen und weißen Haaren hatte, die nur im Dunkeln sehen konnten. Nun wohl: Ich habe alles gesagt, was ich zu dieser Periode sagen kann. Ich hoffe, es war instruktiv und nicht zu langweilig. Vielleicht sollte ich noch etwas zur Atmosphäre anfügen. Sind Sie jemals tagelang um halb sechs zur Bärenjagd aufgestanden, oder um halb fünf in der Früh-Saison, um Enten zu schießen? Dann werden Sie sich erinnern, welchen Hunger Sie beim Frühstück hatten und wie ›gemischt‹ Ihnen nachmittags zumute war und wie Ihnen die Augen zufielen und wie die Muskeln schmerzten und wie traumlos Sie nachts schliefen. Das ist die gesunde Ausdauer des achtzehnten Jahrhunderts. In solche Sport-Arten stürzten sich diese Menschen. Die Regency-Periode, in der das Wetten nächtlich-städtischen Charakter gehabt hatte, war einer eher ländlichen Atmosphäre gewichen. Die Taten von Osbaldeston waren Taten hoch zu Ross und mit Büchse. In der früh-victorianischen Zeit stand man früh auf und bewies seine Mannbarkeit vor Morgengrauen. Der Squire of England jagte sechs Tage die Woche, saß elf Stunden pro Tag im Sattel und hütete sonntags zur Abwechslung bis Mittag das Bett.
In dieser Atmosphäre also wurde mein Urgroßvater Hance mit der Notwendigkeit vertraut gemacht, seine siebenundzwanzig Zoll zur Geltung zu bringen. Jetzt werden Sie einsehen, wie notwendig es war, die Atmosphäre zu schildern, um sein Problem darzustellen. Er maß siebenundzwanzig Zoll – in einer Welt, wo man eine Eigenpersönlichkeit sein mußte, und zwar eine körperlich konkurrenzfähige. Mann und Roß mußten gleicherweise ausdauernd erfolgreich sein. Der unglückliche Rattler, ein amerikanischer Traber, trabte sechsunddreißig Meilen mit einer Geschwindigkeit von sechzehn oder siebzehn Meilen die Stunde und starb daran. Natürlich ging's um eine Wette. Mein Urgroßvater Hance jagte in bester Gesellschaft: er war ein *Gentleman of the Fancy*. Sie nannten ihn Klein-Tommy, und unter der Herrschaft von Jackson's be-

rühmten Tom Thumb wurde er natürlich mächtig aufgezogen. Man sollte annehmen, seine Statur hätte ihm seine Anerkennung als Individualist unter diesen individualistischen Stutzern gesichert. Vielleicht wäre dies auch gelungen, doch Klein-Tommy gab sich mit keinem Achtungs-Erfolg zufrieden, der nur auf seiner Besonderheit beruhte. Er war furchtbar empfindlich und sensitiv, vom Schicksal dazu verurteilt, seine Kleingestalt zu kompensieren.

In einer Welt von Riesen, die sich durch Muskeln auszeichneten, von Meuteführern, die ihre Gehilfen mit bloßen Fäusten angingen und ihre Felder mit der Jagdpeitsche beherrschten, in einer solch körperhaften Welt fühlte sich der Zwerg zurückgesetzt. Alles, was zu Überragendem befähigt, schien so entsetzlich körperhaft, so überwältigend meßbar nach Größe und Gewicht. Vielleicht hätte er sich aus dem Wettbewerb zurückziehen sollen, um sich – wie Pope oder Voltaire – seine eigene intellektuelle Welt zu schaffen. Aber Klein-Tommy stellte sich der Herausforderung und ließ sich mit den Philistern auf deren eigener Ebene ein.

Er jagte mit Sir Richard Sutton's Hunden, und zwar auf einem Gaul, der kaum fünfzehn Handbreit hoch war und trotzdem lächerlich groß für ihn schien. Aber niemand kriegte ihn klein. Sogar damals, als Fernely es fertigbrachte, eine Szene bei Melton zu malen, die vorne einen Fuchs darstellte, dann ein Mitglied des Feldes, dann mehrere Teilnehmer mit einem einzelnen Hund, dann den Haupt-Trupp, dann den Master mit seinem Jagdhorn, und dann die Hunde, die in die entgegengesetzte Richtung rannten –: sogar in jenen Tagen der grün-äugigen Eifersucht konnte keiner Klein-Tommy kleinkriegen. Er ritt in der ersten Rotte, mit Sir James Musgrave und Assheton Smith. Er hatte es durch Training dazu gebracht, daß er eine ganze Flasche Portwein ohne Rülpser austrinken konnte, was seine Leistungsfähigkeit keineswegs beeinträchtigte, und seine Schießkünste waren überragend: er verwendete ein Spielzeug-Gewehr, das ungefähr einem Kaliber 410 entsprach. Die damals in Mode gekommenen Zündhütchen-Patronen meisterte er hervorragend.

Mein Urgroßvater besaß ein Gut in Yorkshire – etwa fünfzehntausend Acker –, und dort pflegte er die berühmten Schützen zu empfangen. Um 1820 war das Schießen etwas völlig anderes als heute. Einerseits waren die Waffen primitiv, andererseits war das Wild leicht zu erlegen. Der Sportsmann hatte nur eine umschweifig geladene schwere Steinschloß-Flinte abzuschießen, die zwischen Abziehn und Feuern ihre Zeit brauchte. Eine doppelläufige war verpönt, galt als unsportlich. Trotz dieser umständlichen und unpräzisen Erfindung gelangen den berühmten Schützen bemerkenswerte Resultate: einhundert Fasanen mit einhundert Schuß, siebenundneunzig Waldhühner in Folge und zwanzig Paar Rebhühner mit vierzig Schuß Kaliber achtzehn. Ihrer Tapferkeit kam das Wild entgegen. Das Korn wurde damals von Hand geschnitten, so daß hohe Stoppeln stehenblieben und man sich dicht an die Vögel heranpirschen konnte. Auch waren die Vögel weniger wild und scheu. Die Büchsen hatten mitunter ein erstaunliches Kaliber. Osbaldeston pflegte Tauben mit einem Kaliber von anderthalb Zoll zu schießen.

Klein-Tommy unterhielt seine Gäste zu Bushel, und zwar äußert großzügig. Seine Schießkünste waren hervorragend, so daß der Gast als Gegengabe gerne Artigkeiten erwies, und dem Zwerg war es vergönnt, sich in der Gleichberechtigung zu sonnen, die seine muskelbepackten Riesen ihm angedeihen zu lassen schienen. Er hatte eine charmante Frau, deren Mutter die mittellose Witwe eines Dekans gewesen war, und er konnte sich im ganzen County ihrer Schönheit rühmen, ohne Furcht vor Verachtung haben zu müssen. Die einzige Bürde, die er derzeit zu tragen hatte, war die Nachbarschaft von Sir Marcus Izall, dem Besitzer eines ausgedehnten Guts, das an seines grenzte.

Die Familie von Sir Marcus Izall war älter als die des Squire. Auf seinem Wappenschild ließ sich kein Fleckchen entdecken, durch das er angreifbar geworden wäre. In Strümpfen maß er sechs Fuß; als Schütze gehörte er in die Kategorie eines Lord Huntingfield; und den meschuggenen Meltonians hätte er fürwahr zur Zierde gereicht. Er war eine eindrucksvolle Erscheinung: gut aussehend, stattlich-herrscherlich, von Frauen umschwärmt. Wenn er Whist spielte, dann mit dem üblichen Einsatz von £ 100 pro *trick* und £ 1000 pro *rubber* – und zwar sorglos-lässig, weil er sich's leisten konnte. Bei beiden Geschlechtern war er beliebt, was, da Erfolg Volkstümlichkeit nach sich zieht, nicht verwunderlich ist. Furcht oder Fehler schienen ihm völlig fremd. Er war der Mann, den Klein-Tommy wie nichts auf der Welt haßte.

Sie waren in benachbarten Häusern aufgewachsen, und Kinder sind von Natur aus grausam. Sir Marcus war in seiner Kindheit nicht beigebracht worden, seine Gefühle zu verbergen, so sie verletzen konnten. Klein-Tommy hingegen hatte von frühauf die Reaktion der Umwelt auf Absonderlichkeiten von des Knaben Lippen hören müssen. Ihre Eltern hatten sie angehalten, miteinander zu spielen – mit jener blödsinnigen Blindheit, wie sie Eltern aller Zeiten eigen ist. Tommy war Marcus als Muster an Menschlichkeit vorgehalten worden. Marcus, umgekehrt, Tommy – solange noch die vage Aussicht bestand, daß er wachsen werde – als Prototyp des wohlgestalten jungen Herrn. Klar, daß sie einander haßten. Und daß Tommy sich vor Marcus fürchtete. Er hatte immer entsetzliche Angst, Marcus könne ihm körperlich Gewalt antun. Und Marcus, der diese Angst instinktiv spürte, übernahm die Rolle des rücksichtslos Beherrschenden.

Diese körperlichen Animositäten sind eine unvorhersehbare Sache. Daß der Zwerg sich vor dem Riesen fürchten würde, war, nach den Schrecken der Kindheit, verständlich. Doch daß der Riese den Zwerg haßte, war rätselhaft. Vielleicht haßte er ihn, weil er ihm als Muster an Menschlichkeit präsentiert wurde; vielleicht war's auch nur körperlicher Widerwille zwischen Geschöpfen verschiedener Species. Aus welchem Grund auch immer: Sir Marcus war zum Verfolger seines Nachbarn geworden.

All die grausamen Sachen, die man zu Klein-Tommy gesagt, und all die Streiche, die man ihm gespielt hatte – alles schien im Nachbarhaus seinen Ursprung zu haben. Es war das Zeitalter der üblen Streiche und des Schabernacks. Theodore Hook, der den Berners Street Hoax verübt hatte, war noch am Leben. Bestimmt ist Ihnen dieser Streich noch in Erinnerung. Eine Dame hatte Mr. Hook's Mißfallen erregt, und er setzte sich hin und schrieb eine Reihe von Briefen. Das Resultat dieser Briefe war die gleichzeitige Ankunft von vielen Fuhrwerken und Fußgängern; es kamen: Kohlen, Möbel, Hochzeits-Torten, Leichenwagen, Schornsteinfeger, Handelsleute, Rechtsanwälte, Geistliche, Fischhändler, Brauer, der Lord Mayor und der Duke of Gloucester. Berners Street war von hinten bis vorne voll. Der Prinzregent war derart entzückt, daß er Mr. Hook eine Sinecure von zweitausend Pfund pro Jahr aussetzte.

Der Streich war grausam: typisch für jene Epoche. Die Dame der Berners Street hatte es zu ertragen. Von ihr, dem hilflosen Individuum, wurde erwartet, daß sie all solche Teufeleien erdulde. Von ihr wurde erwartet, daß sie die Tugenden von Sparta besitze, unter anderem das, was wir als ›Mumm‹ bezeichnen und was sie damals *bottom* nannten.

Klein-Tommy haßte alle Anzüglichkeiten, die seine Statur betrafen. Solange sie noch auf Besuchs-Fuß standen, redete Sir Marcus endlos von Rutlandshire und den Vorzügen, in Chiswick zu leben. Er schickte Klein-Tommy Geschenke: Schnepfen, Breitling, Zwergstachelbeeren und Dünnbier. Anläßlich Tommy's Hochzeit schenkte er ihm ein Puppenhaus, ausgestattet mit einer zwei Zoll großen Wiege und begleitet von einem Brief mit Intim-Ratschlägen, die man in unserm Jahrhundert nicht wiedergeben kann. Der Squire of Bushel geriet in lodernde Empörung und versuchte, einen Streit mit seinem Verfolger vom Zaun zu brechen. Doch Sir Marcus lachte bloß. Das mußte der schlimmste Schlag gewesen sein. Das gallige Gespött, der verachtende Hohn – das blieb lange in den winzigen Ohren haften.

Mein Urgroßvater hatte, wie üblich, im Frühherbst 1838 Gäste. Er machte es anders als Sir Hercules Lapith und ließ sich angelegen sein, keine seiner Größe angemessenen und entsprechenden Gerätschaften zu verwenden. Sogar seine Pferde waren zu groß für ihn, und die 410, mit der er zu schießen pflegte, war im Verhältnis so gewaltig wie Osbaldeston's Tauben-Flinte. Er betrachtete diese Dinge als notwendige Konzessionen. Ein normales Zündnadel-

Gewehr hätte er kaum tragen können. Wenn es hingegen um die ›*frills*‹ des Lebens ging, die Rand-Erscheinungen wie Messer und Gabeln und Stühle, dann machte er keine Zugeständnisse. Mühsam kletterte er auf einen Erwachsenen-Stuhl, kniete sich umständlich auf die Sitzfläche und schaufelte sich gekochtes Fleisch in den Mund mit einer Gabel, die fast die Länge seines Unterarms erreichte.
Es war widerlich, zusehen zu müssen, wie er seine Gäste hofierte, und noch widerlicher, wenn er sich nach dem Essen bemüßigt fühlte, eine Schau abzuziehen. Es war für die Zuhörer peinlich, ihn von den Muskeln Simon Byrne's reden zu hören, der den schottischen Meister bei einem Boxkampf im Jahre 1830 getötet hatte. Die armselige kleine Kreatur spielte das harte Spiel mit ekelhafter Perfidie, so, wie ein kleiner Junge zu rauchen und zu fluchen versucht.
Klein-Tommy wettete eifrig auf sich selber. Dadurch bekam er das Gefühl, im Strom mitzuschwimmen, dazuzugehören, das riesenhafte Leben erfolgreich zu meistern. Leider setzte er nie auf seine Besonderheiten. Hätte er auf seine Fähigkeit gesetzt, durch Abflußrohre zu kriechen oder vierzig Meilen auf einem Shetland-Pony zu reiten, dann wäre das unter den gegebenen Umständen eine vernünftige Wette gewesen. Aber er weigerte sich, vernünftig zu sein oder die Umstände zuzugeben. Einmal schloß er eine Wette über eintausend Pfund ab, daß er Captain Bentinck in einem Ruder-Rennen von Vauxhall Bridge nach Whitehall schlagen werde. Er ließ sich ein besonderes Boot bauen, das auf seine spezielle Größe zugeschnitten war. Indes verlor er das Rennen kläglich, weil er von den Wellen besiegt wurde. Bei dieser Gelegenheit sandte ihm Sir Marcus Izall einen fünf Fuß langen Modell-Dampfer. Diese Verhöhnung traf ihn tief, und insgeheim machten die Wettkämpfe ihn unsicher. Es wurde für ihn zu einer Notwendigkeit, einen ausgewachsenen Mann auf seinem eigenen Felde zu schlagen, um sein Selbstwertgefühl wiederzugewinnen. Erst 1838 ergab sich die passende Gelegenheit, und zwar bei einem Dinner im Frühherbst.
Der große Captain Fosse war zu Gast auf Bushel, und die Unterhaltung wandte sich der Tötungs-Kapazität der 410 des Squire zu. Natürlich beharrte Klein-Tommy darauf, daß man mit ihr präziser

töten könne als mit einem größeren Gewehr, womit er ausdrücken wollte, daß er einzig und allein aus diesem Grund keine großkalibrige Büchse benutze. Captain Fosse warf ein, daß Hase, Ente und Taube kaum in die Kategorie fallen dürften. Ein Kopfschuß aus angemessener Entfernung mochte sie erledigen, aber die Erfolgs-Aussichten würden durch die Reichweite einer Zwölfkalibrigen erhöht. In Tommy's Argumenten lag eine gehörige Portion verzweifelter Heftigkeit, und Fosse war ziemlich zartbesaitet. Auf Bushel gab's reichlich Hasen.

Das Ergebnis war natürlich eine Wette.

Ich glaube, ich sollte noch etwas zu den Wetten in jenen Tagen sagen. Der Aphorismus, in Krieg und Liebe sei alles erlaubt, wurde durch die Hinzunahme der Geldwetten zur Trinität erweitert. Eine Wette bot eine gute Gelegenheit zur Ausflucht, und derjenige, der dadurch Geld gewann, daß er die Wette dem Wort nach einhielt, nicht jedoch dem Geiste, wurde als legitimer und bewunderswerter Spekulant angesehen. So machte Lord Middleton einmal eine Wette mit dem Jagd-Aufseher, und die Bedingungen lauteten, daß der eine die Strecke des anderen zu tragen hatte. Der Jagd-Aufseher war der bessere Schütze und der kräftigere Mann. Alsbald taumelte Lord Middleton mit einer Last über Sumpf und Moor, die alle Hoffnungen auf Erfolg zunichte machten... eigentlich sollte ich sagen: alle Hoffnung auf Erfolg zunichte gemacht *hätten*, wenn Lord Middleton nicht auf die geniale Idee gekommen wäre, einen Esel zu erlegen. Da mußte man dann bei der schriftlichen Fixierung einer Wette sehr behutsam vorgehen. Der Einsatz und die Bedingungen wurden wie ein rechtsgültiges Dokument festgehalten – dazu die jeweiligen Vorkehrungen gegen Ausflüchte der Gegen-Partei. Eine Wette wurde eine feierliche Handlung, sorgfältig und verbindlich formuliert und fixiert, weit und breit diskutiert und mit Andacht erörtert. Sir Marcus Izall und die übrigen Angehörigen der sportlich engagierten Gesellschaft hörten von der Wette.

Es war unmöglich, daß die beiden Männer gemeinsam auf ein Stück Wild zugingen, denn nehmen wir einmal an, daß ein Hase in gleicher Entfernung von den beiden Büchsen auftauchte, so würde er stets von Captain Fosse erlegt werden, ehe Mr. Hance auch nur in Schußweite käme. Die Lösung, daß Mr. Hance zehn Schritt vor seinem Kontrahenten gehen sollte, wurde vom Captain nicht akzeptiert. Also teilte man auf einer vier Stunden währenden Konferenz das Gelände in zwei Hälften, und die beiden Hälften wurden unter den Konkurrenten ausgelost. Es sollte ein Zwei-Tage-Wettkampf werden, und jedem wurde erlaubt, am zweiten Tag über das Territorium des Gegners zu schießen. Den Konkurrenten wurde die Hilfe eines Assistenten und die Oberaufsicht eines Unparteiischen zugestanden. Mr. Hance beharrte darauf, sein eigener Assistent und Schiedsrichter sollten zweihundert Schritt hinter ihm gehen. Zögerlich wies er darauf hin, daß ihm seine Größe einen gewissen Vorteil gewähre, wenn er sich dem Wild nähere, und eben dieser Vorteil würde durch die Anwesenheit der beiden Begleiter zunichte gemacht. Nach heftiger Auseinandersetzung stimmte Captain Fosse zu. Der Wettbewerb sollte tags darauf vonstatten gehen. Es war ein strahlender Yorkshire-Morgen: eine Spur Winter in der sonnigen Luft und eine leichte Brise über den Stoppelfeldern: warm in der Sonne, doch kühl im Schatten. Klein-Tommy hatte die ganze Nacht wachgelegen. Er war nervös und erwischte seinen ersten Hasen nahe den Hinterläufen. Die Unsauberkeit des Erlegens und das Schreien des Tieres beim Sterben waren ihm ein heilsamer Schock, und danach schoß er fehlerlos. Der Vorteil seiner geringeren Größe beim Anpirschen glich genau den Vorteil von Captain Fosse's größerem Kaliber aus, und bei Sonnenuntergang hatte jeder siebenundzwanzig Hasen zur Strecke gebracht.

Der zweite Tag sollte die Entscheidung bringen. Am ersten Tag war Captain Fosse den Geländestreifen abgegangen, der an Sir Marcus Izall's Anwesen grenzte. Jetzt war Tommy an der Reihe, die Grenze zu patrouillieren. Er hatte die zweite Nacht schlaflos verbracht und sich alle möglichen Hirngespinstigkeiten vorgegaukelt; außerdem war er ein aufgeregter Schütze. Zu allem Überfluß kam nun auch noch die Nähe von Sir Marcus hinzu. Er stellte sich vor, wie er jenseits der Hecke auf gleicher Höhe hölzern neben ihm einherstapfte. Und endlich war der Besatz an Hasen ausgedünnt.

Klein-Tommy stolperte durch die Stoppeln (die ihm fast bis zur Hüfte reichten) – in einer ärgerlichen Mischung aus Angst und Erschöpfung. Alles, was er darzustellen gehofft hatte, alle Gleichheit, die ihm durch eine Laune der Natur versagt geblieben war, hing vom Ergebnis dieser Wettjagd ab. Er hatte sein Herz in die Waagschale geworfen – ach was: sein Leben stand auf dem Spiel, seine Selbstachtung. Auf irgendeine geheimnisvolle Weise würde es ihm sogar gelingen, auch Sir Marcus mit Gleichmut zu begegnen, wenn er bloß diese Wette gewann. Dann hätte er seine Persönlichkeit erlangt und gefestigt, sich mit dem Geist seines Jahrhunderts vereint. Sein Pech war, daß er nur sieben Hasen erlegt hatte.

Einer der Faktoren, die man in Betracht ziehen muß, war sein Schrittmaß. Auf jeden Schritt seines Opponenten kamen drei der seinen, und dies in schwierigem Gelände, das jede Behinderung verdreifachte. Wenn Fosse fünfzehn Meilen zurücklegte, waren's für den Zwerg fünfundvierzig. Das Unterfangen war überdimensioniert, die Müdigkeit ungeheuerlich, und seine Chancen standen schlecht. Im Abenddämmer kam er an sein letztes Feld, sieben Hasen im Beutel und seinen Unparteiischen dreihundert Schritt hinter sich. Er war erschöpft und sah zitternd dem Ergebnis von Captain Fosse's Pirsch entgegen. Das Gefühl von Sir Marcus Izall's Nähe war im diffussen Licht übermächtig. Er erreichte sein letztes Feld – ein Hase steckte darin. Es war der erste Hase, den er seit drei Stunden sah. Er war fast zu müde zu schießen. Das kleine Männlein blieb einen Augenblick stehen und betrachtete den Hasen mit einem Ausdruck der Verblüffung, so, als wär's ein fremdes Ding. Captain Fosse war irgendwo im County, Meilen zu seiner Linken, mit einer unbekannten Strecke. Er war der beinah sichere Gewinner. Beinahe – nicht ganz. Die Hasen waren ausgedünnt.

Da kam ein verschlagen-schlauer Ausdruck in die kleinen Äuglein: die Chance eines möglichen Triumphs und eine qualvolle

Aufgeregtheit. Er fing an zu zittern – ob aus Erschöpfung oder Angst, ließ sich unmöglich sagen. Er warf einen Blick zurück: der Unparteiische hielt sich in angemessener Entfernung und war in der herabsteigenden Nacht nahezu unsichtbar. Der würde keine Einzelheiten sehen können. Der Squire of Bushel ließ sich auf Hände und Knie nieder, richtete sich weniger als zwanzig Schritt entfernt vorsichtig auf: der Hase saß aufrecht da, mit gehobenen Löffeln. Klein-Tommy schwankte zwischen dem Verlangen, sich näher heranzupirschen, und der Angst, das Tier zu verscheuchen. Er hob die Büchse mit der Behutsamkeit einer Blüte, die sich in der Sonne öffnet, nahm den Hasen ins Visier, bis der Lauf in alle Richtungen zu zielen schien, und drückte ab. Es war eine unverzeihbare Verletzung der Etikette: ein Schuß im Sitzen. Der Hase fiel um.

Klein-Tommy lief auf wackligen Beinen, deren Knie mit alarmierender Unabhängigkeit nach außen klappten; er packte den Hasen bei den Löffeln und sah ihn verblüfften Blickes an. Sir Marcus Izall nebst einigen Ladies und Sir Bellingham Graham erhoben sich hinter der Hecke zum Nachbargut und lachten, als wollten sie gleich platzen. Der Hase hing in seiner Hand, steif und starr, mit gekreuzten Vorderläufen, als wolle er Männchen machen. Er war unfachmännisch ausgestopft.

Captain Fosse, der mit einer Strecke von dreizehn Hasen aufgeregt heimwärts gestrauchelt war, gab in der Folge der Jagdwette eine ganz gute Figur ab. Er überbrachte dem benachbarten Guts-Herrn die Forderung mit geziemender Würde. Sir Marcus mochte lachen, bis er blau anlief, doch der Captain blieb unerschüttert. Als Konzession bot er an, daß der Squire zu Pferde schießen werde, um ein besseres Ziel abzugeben.

Schließlich zuckte Sir Marcus mit den Schultern und bat Sir Bellingham Graham, als sein Sekundant zu fungieren. Sir Bellingham machte Ausflüchte und weigerte sich. Er war ein gutherziger Mensch und schämte sich ein wenig des scheußlichen Scherzes. Ein ortsansässiger Friedensrichter mit Namen Farrar übernahm die Aufgabe.

Die Vorkehrungen für ein Duell waren ebenso kompliziert wie die Vorbereitungen einer Wette, wurden jedoch mit einer Art formeller Fixheit getroffen. Es wurde vereinbart, daß Mr. Hance's Duell-Pistols verwendet werden sollten – ein wunderhübsches Paar, vor über zehn Jahren von Joe Manton eigens handgefertigt. Sie waren normalkalibrig, doch extrem leicht, um den (damals hypothetischen) Anforderungen des Squires gerecht zu werden. Sir Marcus stimmte mit merkwürdiger Indifferenz zu, obwohl ihm dadurch zufolge mangelnder Übung ein Nachteil erwuchs. Von beiden Männern war bekannt, daß sie auf zwanzig Schritt zehn Schuß ins Karo-As bringen konnten.
Als Captain Fosse spät am Abend heimkam, fand er den Squire im Bette, doch wach. Er berichtete ihm, daß die Affäre am nächsten Morgen um sechs Uhr zu regeln sei, und zwar auf den Sandbänken nahe Scarborough. Es war der früheste Zeitpunkt, da man gutes Büchsenlicht erwarten konnte, und zum Hinweg würde man vor dem Morgendämmern zwei Stunden mit der Kutsche brauchen.
Der Miniatur-Squire stieg sogleich aus dem Bett und verbrachte den Rest der Nacht damit, seine Angelegenheiten zu ordnen, wobei der Captain ihm behilflich war. Das Unternehmen ging langsam vonstatten, da der Squire nicht mit dem Herzen bei der Sache zu sein schien.
Er hatte nicht etwa Angst, nein, er war Feuer und Flamme, was ihn beim Aufsetzen des Testaments zu einem schwierigen Partner machte. Es war genau das, was er gewollt hatte: *die* Möglichkeit, all seine Probleme auf einen Schlag, blitz-artig, zu lösen. Er weide sich an der Redensart ›auf einen Schlag, blitz-artig‹, bemerkte er zu dem geschäftigen Captain, *à propos* überhaupt gar nichts. Der Captain jedoch erkannte sogleich die Anspielung, sah vor seinem geistigen Auge den Blitz durchs Dunkel fahren und roch Pulverdampf.
Klein-Tommy war außer sich vor Aufregung. Zwar versuchte er, sich würdevoll zu benehmen und seinem Hab und Gut ungeteilte Aufmerksamkeit zuteil werden zu lassen, aber die ganze Zeit dachte er an den Blitz. Die kleine Manton würde ihm leicht in der

Hand liegen, wie von einem französischen Pastetenbäcker gebakken, und er wollte den Abzug betätigen, und dann sollte der Blitz aus dem Krachen springen. Das schwarze und stinkende Pulver würde einen Augenblick in der Luft hängen und die zusammenbrechende Gestalt von Sir Marcus verdunkeln, und mit der zusammenbrechenden Gestalt und dem Rauch würden all seine Sorgen entschwinden. Damit war sogar das Hasen-Schießen aus der Welt geschafft. Er vergaß alle Ressentiments gegenüber Sir Marcus. Ihm kam überhaupt nicht in den Sinn, daß er ja auch selbst getötet werden könnte.

Sehen Sie: Das Duell hatte sich zu einer Möglichkeit entwickelt, der Riesen-Rasse zu begegnen und seine Gleichheit auf allgemein-normaler Ebene zu beweisen. Es stellte die perfekte Lösung dar. Seine früheren unbeholfenen Versuche, seinen früh-victorianischen Körper durch Ruder-Rennen und Hasen-Hatz zu rechtfertigen, waren nur dilettantische Stolpereien auf dem Weg zum großen Ziel gewesen. Wenn er einen Mann von normaler Statur tötete, ja, ihn unter neutral-überwachten Bedingungen wörtlich-wahrhaft des Lebens beraubte, dann mochte er sich zu Recht als Gleichwertiger der Rasse brüsten. Sir Marcus würde der Trittstein zur Gleichheit sein, und Klein-Tommy verzieh ihm aus diesem Grunde – wenn's ihn auch insgeheim ein kleines bißchen freute, daß es Sir Marcus war, den er töten werde, kein anderer.

Ehe sie losfuhren, um vier in der Früh, erinnerte er sich seiner letzten Pflicht. Er begab sich ins Schlafgemach seiner Gattin und weckte sie auf.

›Philadelphia‹, sagte er, ›ich geh' auf Enten.‹

›Weshalb erzählst du mir das?‹ fragte Mrs. Hance.

›Ich dachte, du würdest's gerne wissen‹, sagte der Squire verlegen. Dann nahm er einen ihrer Finger in seine kleine Hand und küßte ihr unbeholfen den Knöchel. Er ging zu den Kutschen im Dunkel hinunter.

Das Thema der Unterhaltung zwischen Bushel und Scarborough war eine vom Squire durchgeführte Befragung betreffs der Osbaldeston-Bentinck-Affäre. Stimmte es, daß ein oder beide Pistols nicht geladen war? Hatte er Captain Fosse's feierliche Versicherung, daß bei der jetzigen Begegnung nichts dergleichen geschehen könne? War Farrar absolut vertrauenswürdig? Durfte er die Pistols selber laden? Würden die Duellanten Rücken an Rücken beginnen?

Zu diesem Punkt hatte der Captain etwas zu sagen. Nein, die Duellanten würden nicht Rücken an Rücken beginnen. Es sei ausgemacht worden, daß Mr. Hance vom Pferd aus schießen solle, und das Umwenden seines Pferdes würde ihn in Nachteil bringen. Die Duellanten stünden sich von Angesicht zu Angesicht gegenüber, doch werde der Unparteiische verlangen, daß sie die Pistols seitwärts hielten und ihn ansähen. Die Pistols würden nicht gespannt sein. Der Richter sei instruiert, zwei Worte zu sagen: ›Fertig? Feuer!‹ Bis er das zweite Wort sagte, dürfe keiner der Duellanten vom Richter wegsehen oder sein Pistol heben oder spannen. Klein-Tommy schien kaum hinzuhören. Treffe es zu, erkundigte er sich, daß Colonel Anson im kritischen Augenblick Mr. Osbaldeston gestoppt und dann Lord Bentinck das Kommando ›Feuer‹ gegeben habe, wodurch ersterer überrumpelt wurde? Sei der Richter der gegenwärtigen Begegnung absolut verläßlich? Es handle sich um eine Angelegenheit größter Dringlichkeit.

Im frühen Licht gingen sie über die Dünen, stapften durch das trockne schwere Pulver des Sands und umgingen die stachligen Gras-Soden, mit denen die Barrieren gegen das Meer verbunden waren. In der Luft lag ein Hauch von Frost. Eins der Kutschpferde wurde ausgeschirrt und zum Strand hinabgeführt. Sir Marcus war noch nicht angekommen.

Bei allem, was wir leiden, ist das Warten gewöhnlich das schlimmste. Am Strand gab's nichts zu tun. Wäre meinem Urgroßvater auch nur von ferne der Gedanke ans Getötet-Werden durch den Sinn gegangen, dann hätte er die nächste halbe Stunde möglicherweise in Qual und Pein verbracht. Doch im Gegenteil: Er war glücklich wie ein ausgelassenes Kind. Die Lösung all seiner Probleme hatte sich ihm so bildhübsch dargeboten – und ohne jede Mühewaltung seinerseits –, daß ihn keinen Augenblick irgend welche Zweifel überkamen. Sir Marcus würde kommen, und er würde getötet werden. Klein-Tommy vertrieb sich die Zeit, indem er mit Kieselsteinen nach Seemöven warf, so, als gäb's nichts andres auf der Welt.

Sir Marcus kam. Er kam mit dem Wund-Arzt und Mr. Farrar und dem Richter, alle vier in lange schwarze Umhänge gewandet. Sir Marcus trug darüber hinaus ein schwarzes Halstuch, so daß an ihm nichts Weißes zu sehen war. Er war blaß, indes völlig gefaßt, und wie's aussah, lachte er herzhaft über einen deftigen Witz. Der Richter näherte sich Captain Fosse und fragte, ob nicht die Möglichkeit bestehe, die Angelegenheit in letzter Minute ohne Blutvergießen beizulegen. Captain Fosse war angewiesen, diesen Vorschlag abzulehnen. Völlig regelwidrig traten dann Sir Marcus und Mr. Farrar an den Squire heran und schlugen vor, das Duell mit Wasserpistolen auszutragen. Sie förderten eine Anzahl zutage und erboten sich, ihren Opponenten zu bespritzen. Captain Fosse intervenierte verärgert.

Alles fing an, sich wie im Traum abzuspielen, glatt und ohne Gefühle. Mr. Hance bestieg den Kutsch-Gaul, die Distanz wurde abgeschritten, der Richter lud die Pistols, beide Sekundanten inspizierten sie. Sir Marcus und Mr. Hance vermieden es, sich anzusehen. Zu diesem Zeitpunkt machte sich Ersterer wohl seine Lage klar. Sein letzter Hohn war verpufft, seine Hoffnung, die Katastrophe im letzten Augenblick durch einen Bluff oder einen Eingriff von außen abzuwenden, war vergebens. Und er war ein stolzer Mann. Er wartete, blickte auf den Sand.

Für Mr. Hance verlangsamte sich der Lauf der Welt, rollte im Zeitlupentempo ab. Gehorsam wandten sie dem Richter ihr Gesicht zu, sahen hinter ihm die weißen verharrenden Flocken der Möwen und den Boden-Nebel des Septembers. Der Richter hatte eine kleine Warze neben der Nase. Klein-Tommy saß, ohne Sattel, seitwärts auf seinem Pferd, betrachtete die Warze. Die Kruppe des Kleppers war hart.

Der Richter sprach, wohl-abgewogen, die erwartete Formel. Das Pistol hob sich mit großer Mühe, schien sich nur widerspenstig

aufwärts zu bewegen: wie ein Mann, der durchs Meer stapft. Es spannte sich beim Heben. Das Pferd scheute, irritiert durch die Bewegung. Das Pistol bewegte sich wie eine Wünschelrute gen Himmel, ehe es losging, und bewegte sich aus eignem Entschluß zur Rechten. Es stieß einen schwarzen Rauchpilz aus. Kein Blitz. Kurz danach ein lauter Knall.
Der Rauch hatte keine Wirkung auf Sir Marcus. Der Lärm schien ihn zusammenfahren zu lassen.
Mr. Hance lugte durch den Pulverdampf zu ihm hinüber, wobei er den Kopf ein wenig zur Seite neigte: wie jemand, dem im Kino sein Vordermann im Wege sitzt. Das Gesicht des Baronet hatte dieselbe Farbe wie der Sand und zeigte eine Mischung aus Trotz und Überraschung. Er blieb aufrecht stehen, das Pistol an der Seite.
Mr. Hance öffnete den Mund.
Sir Marcus Izall fing an, müde auszusehen. Er hob sein Pistol – weg vom Körper, weg von den Sekundanten, weg vom Squire. Als es hoch in den Himmel zeigte, drückte er ab. Dann fiel er – so, als sei die zweite Explosion zuviel für ihn gewesen – platt auf den Rücken.
Klein-Tommy sah's zuerst auf dem Gesicht seines Sekundanten. Alle waren zu Sir Marcus gelaufen. Das Blut, das sich über den feinen Sand ergoß, lief zu kleinen Kügelchen zusammen, die sonderbar aussahen. Klein-Tommy war auf seinem Pferd sitzengeblieben.
Endlich kamen sie zu ihm, und mit einem Seitenblick erfuhr er aus den abgewandten Augen des unglücklichen Captain, was sich zugetragen hatte. Seine Augen zeigten Feindseligkeit und versteckte Scham. Sir Marcus war ein toter Riese. Mein Urgroßvater war ein gebrochener Zwerg, der zuguterletzt doch noch Rang und Stand verloren hatte.
Er hätte vorher daran denken sollen. Hätte Goliath den David getötet, wäre er der Prototyp des Proleten gewesen. Der Größere hatte sich außerstande gesehen, auch nur die Waffe zu erheben.«

Das schwarze Kaninchen

»Ich war ein kleiner Junge«, erzählte der Professor, »als sie mich nach England zurück brachten, und ich habe mein Land mein Leben lang geliebt. Pansy kann auf den Kontinent gehen, wenn er will, und ich bin überzeugt, daß es ihm Vergnügen machen wird; aber was mich angeht: mir bleibt zu wenig Zeit für Britannien. Was hat man von siebzig Jahren? Das Leben ist unerträglich, wenn man seine Mitmenschen liebt; für den selbstsüchtigen Philosophen indes ist's schöner als der Himmel und viel zu kurz. Ich möchte gerne nach Italien und einen Mord begehen; ich möchte nach Albanien und einen Bergsteiger erschießen. Wenn ich tausend Jahre würde, hätte ich für derlei Vergnügungen Zeit. Leider aber muß ich bei meinen Vätern ruhn. Und ich werde sterben, ehe ich Zeit hatte, die Grenzen meiner eigenen Insel zu erkunden.
Ich weiß nicht, weshalb ich das Land so liebe. Mich dünkt, es packt mit Überzeugung die Seele. Die Shires mußten, in Ermangelung etwas bessern, meine Liebschaften sein. Schottland ist, auch ohne Fuchs, der unverfälschte Himmel der Glückseligkeit. Die größte Prüfung meines Lebens ereignete sich 1906, als ich ihm zu Penrith den Rücken kehrte, weil mich die Pflichten eines gewissenhaften Forschers dazu zwangen, die dürftigen Säume der englischen Seen abzusuchen. Gloucestershire ragt als das Land heraus, in dem Vergnügen aller Arten vorhanden sind. Dort kann man jagen, fischen und schießen; und das Bier ist ausgezeichnet; und die Architektur blüht und gedeiht, weil die Häuser aus dem Stein sind, auf dem sie stehen; und die Langeweile zu vieler Bäume und Hecken schwindet; und der Mensch wurzelt in seiner eignen Erde, wie seine steinernen Mauern und Häuser: aus der Mutter hervorwachsend, zu der er zurückkehren wird. Forellen in der Colne, Hasen auf dem Cleeve, der Kneipenwirt mit Namen Happy, der das Plough zu Fairford betreibt, Liebe und Mut der Bürgerkriege: die Geschichte Englands greift einem hier ans Herz. Dann gibt es dort die Schwarze Liste; abtrünniges Sussex, ungesund der Bäume wegen

und der Besucher und dem Gebrüll der Belloc-Schule; die voll bevölkerten Viertel von Devonshire, befangen und verfälscht; der Lake Distrikt selber; Surry und die *home* Counties, mehr leidend denn sündig; und die Umgebungen der Städte.
Eigentlich ist's nur eine Frage des *sport*. Auf den kommt's an. Man könnte es auf hunderterlei Weise definieren, aber der *sport* zeigt's am besten. Schauen Sie sich Sussex an: wo kann man da wirklich jagen oder fischen? Oder Devonshire: die Forellen sind klein, und gejagt wird der Hirsch ohne Hecke und Dickung. An den Seen: hauptsächlich Dutzend-Fisch und die blütenweißen Halstücher der feinen Pinkel. In den *home* Counties und den Städten – na, ich muß schon sagen! Schauen Sie sich doch einmal die anämischen, elenden Eintags-Gesichter in den Londoner Straßen an. Zum letztenmal war ich 1907 gezwungen, dort hinzugehen, weigerte mich jedoch, über Nacht zu bleiben. Ihre Schrecken konnte man auf einen Blick diagnostizieren. Es war der Mangel an *sport*.
Um von *sport* zu sprechen: ich werde Ihnen von einer Unterhaltung berichten, die ich als zwölfjähriger Junge hatte. Ich erlernte das Angeln, in einer der Grafschaften auf meiner Schwarzen Liste, in einem vier Fuß breiten Wasserlauf, wo niemand sich die Mühe machte, eine richtige Forelle zu vermuten. Eine halbpfündige galt schon als kapital. Es war ein Flußlauf in einem baumbestandenen Tal einer hügeligen Landschaft. Man konnte ein steinernes Bauernhaus sehen und eine Hopfendarre und einen Obelisk auf einem Hügel. Der Fluß war überwachsen, wie ein überdachter Leiterwagen, und gefischt wurde, indem man barfuß stromauf watete und einen Wurm vor sich her warf. Es war wie beim Hockey. Man durfte die Angel nicht über Schulterhöhe heben, und die meiste Zeit brachte man damit zu, die Leine aus den überhängenden Zweigen zu lösen. Man bangte um die Angel, navigierte und dirigierte sie zwischen Büschen und ließ den sich windenden Wurm in die Senken und Tümpel unter den Plätscherwellen baumeln und jagte die spannlangen Forellen mit wildklopfendem Herzen ab. Sie können sich vorstellen: Für einen Jungen war's der Himmel auf Erden.

Es war himmlisch, und ich war *sport*-besessen, doch mit den Vorstellungen eines Knaben. Jeder erinnert sich seines ersten Kaninchens, das er halb zur Strecke gebracht hat, und des ersten funkelnd-springenden Fischs und des furcht-erfüllten Auges des verwundeten Vogels, wie er schlangengleich den Kopf verdreht, und des quietschenden Hasen. Jede Art von *sport* ist zu Anfang scheußlich. Man beschmiert junge Anfänger mit den stinkigen Innereien eines verstümmelten Fuchses, und wenn das Kind auch nur einen Funken Gefühl hat, wird sich's die nächsten zehn Minuten schreiend auf der Erde wälzen. Man läßt seinen Sohn seinen ersten Wurm aufspießen, und er schaudert mit abgewendetem Gesicht ob des sich krümmenden Wesens mit seinen klebrigen Ausscheidungen. Man läßt ihn seine eigenen Fische vom Haken nehmen und töten, und er hat Angst, sie festzuhalten, und schreckt vor ihnen zurück, wenn sie zappeln. Man überläßt es ihm, sein Kaninchen abzunicken, das sich das Rückgrat gebrochen hat, mit seinen entsetzten Augen, und er tritt es und hält nach viel zu dünnen Zweigen Ausschau, um es zu erschlagen, voll Angst, es anzufassen, voll Haß, weil's schmerzt. Ich habe es verabscheut, Tiere zu töten, und doch wollte ich sie töten. Bei den Halbpfünder-Forellen habe ich vor Lust und Gier gebebt, wenn ich dabei war, sie zu fangen; und wenn ich sie gefangen hatte, war ich bestürzt. Es schaudert mich, sie auf den Kopf zu schlagen, mußte mein Bewußtsein ausschalten und erfand eine bequeme Theorie, wonach es humaner sei, sie ersticken zu lassen. Möcht' wissen, was es war. Könnte Angst vor dem Tod gewesen sein.

Ich war ein nachdenklicher Junge und sprach mit den Wildhütern und dergleichen. Ein Gehilfe hatte mich, die Saison zuvor, eine Lachs-Angel in meiner rechten Hand halten lassen, vorgeneigt, in der angemessenen Laufhaltung, den Köder zwischen Zeigefinger und Daumen meiner Linken. Er tat das, damit ich die Zugkraft eines Fisches spürte. Es war wenig, vielleicht ein Pfund oder so. Auch unter Berücksichtigung der Schwimmkraft, die einen Fisch im Wasser leichter macht (und in dem Alter vergaß ich das), schien es mir unrecht, einen schweren Lachs derart abzujagen. Es war ein scheußlicher Gedanke, daß diese herrlichen Hai-rückigen Ungetüme durch langsames Zermürben getötet werden sollten, durch schlimmere Qualen als Zahnschmerzen, am qualvollen Haken. Und dann der Gedanke an die getroffenen Rebhühner, das Schrot in den Innereien, wie sie Gangräne kriegten. Am schlimmsten vielleicht waren die gejagten Füchse. Am 9. November 1870 fand mit den Grafton unter Frank Beris eine Jagd statt, da ging ein Fuchs von Bucknells in flottem Tempo eine Stunde und zehn Minuten, lief in eine Haustür, einen Gang hinab in die Hinter-Küche und wurde unter dem Tisch getötet. Stellen Sie sich vor: Um Schutz zu suchen, flüchtete sich das wilde Tier am Ende in die Behausung seines Erzfeindes! So etwas war keineswegs eine Seltenheit. Ich bin nie so töricht gewesen zu behaupten, einem Fuchs mache es Vergnügen, gejagt zu werden, oder dies sei notwendig. 1888 wurde ein Fuchs von Easton Neston Gardens gejagt, bis er weder laufen noch stehen konnte und sich in einer Eisenbahn-Schneise niedertat. Zwei Züge brausten an ihm vorüber, aber er rührte sich nicht. Zwei Streckenarbeiter kamen und schlugen ihn mit ihren Mützen, bis er sich aufrappelte und die Böschung hinaufkletterte. Auf halbem Wege tat er sich wieder nieder, und ein Kutscher wurde hingeschickt, um ihn auf die Straße zu scheuchen. Schließlich wurde er rausgebracht und taumelte davon, und die Hunde rannten ihn einfach über den Haufen.

Wenn man mit Köder auf Hechte geht, steckt man am besten zwei oder drei Haken fest in eine lebende Plötze oder einen Barsch und läßt sie am Ende der Leine treiben. Die Schmerzen töten sie gewöhnlich in ein paar Minuten, doch vorher hat vielleicht ihr Todeskampf die Aufmerksamkeit eines Hechtes erregt, der schließlich durch Schläge auf den Kopf erledigt wird. Einem Hirsch wird meist die Kehle durchgeschnitten, wenn er's nicht vorzieht abzusaufen. Beim Abnicken einer Sau macht man einen kleinen Einschnitt zwischen Schulter und Genick und sticht ihr ein langes Messer ins Herz. Ein gewiefter Schlächter schafft's beim ersten oder zweiten Versuch. Shrimps machen ein dünnes

Geräusch, zwischen dem Pfeifen und dem Zischen eines Wasserkessels, wenn sie bei lebendigem Leibe gekocht werden.
Aber ich wollte ihnen von meiner Unterredung erzählen. Sie fand an einem Sommertag statt, als die Eintagsfliegen ihren Hochzeitsflug tanzten und das Vieh mit den Schwänzen schlug und die englische Landschaft sich auf den Rücken zu rollen und ihren Bauch der Sonne darzubieten schien. Über der Hopfendarre rüttelte ein Habicht in der blauen Luft, und zwei kleine Forellen lagen neben mir an der Uferböschung; ihre rosigen Flanken waren noch nicht verblaßt.
Normalerweise nahmen mich diese speziellen Tümpel derart gefangen, daß ich mich im Verlauf von zwei Stunden kaum hundert Schritt mit der Angel durch das Gewässer bewegte. An diesem Tag hingegen war ich entschlossen, bis zu unserer Grenze vorzudringen: einer geheimnisvollen Gegend, unentdeckt, unerforscht, ungefähr eine Meile von der Farm entfernt.
Ich weiß nicht, wann mir unbehaglich zumute wurde. Auch in der Nähe des Hofs begegnete man niemals jemandem, aber ich glaube, schon der bloße Anblick der Gebäude leistete einem Gesellschaft. Sie verschwanden, wenn man sich den Bachlauf hinaufschlängelte.
Ich wurde mir meines Ichs bewußt, trat gewissermaßen aus mir selbst heraus. Meine Bewegungen kamen mir in diesem verlassenen Tal sonderbar vor. Einsamkeit ist ein von Romantikern verwendeter Begriff, um ihre Lebensform zu beschreiben; so gesehen, drückte sie meinen Zustand unzureichend aus. Ich war nicht einsam, sondern allein. Völlig allein: das müssen Sie bedenken. Ich fühlte mich von der Menschheit abgeschnitten, umgeben nur von diesen stillen besonnten Wiesen und den bewaldeten Hängen. Ich möchte nicht unbedingt sagen, daß sie mich beobachteten. Sie waren's zufrieden, mich zu umgeben, und ließen sich's wohlsein. Ich hatte das Gefühl, meine Bewegungen wären fremd und ungeschickt und beaufsichtigt. Das war das erste Stadium; aber ich wollte unbedingt zur Grenze und sah alle möglichen besseren Tümpel voraus. Nach einer gewissen Zeit bekam ich's mit der

Angst. Es schien lächerlich und zudringlich, hier zu fischen, und ich schämte mich meiner toten Fische. Die Angel kam mir albern vor, und irgendwie herrschte Feindseligkeit. Aber ich hatte mir die Sache nun mal in den Kopf gesetzt, und ich wollte partout nicht klein beigeben. Ich ging weiter und fischte – allerdings ohne eigentliches Interesse.

Auf eine Weise kam's bald, denn es war ja nur eine Meile, innerhalb der das Gebiet kommen mußte, aber auf andere Weise war's auch eine Entwicklung, eine stufenförmige Akkumulation bis zum Knick. Da machte der Bach eine Biegung, und die bewaldeten Hügel kamen heran, und sogar der Obelisk war verschwunden. Es war, als trete man aus der Ding-Welt heraus, wenn Sie mich verstehen: aus der Menschhaftigkeit, durch einen Spiegel, wie man's auch nennen will. Am Fluß lagen zwei kleine Felder, und dann kam nur Wald, eine Sackgasse. Bog man um die Biegung, war hinter einem auch nichts mehr: nur Bäume. Man war hineingestiegen, und die Falle war zugeschlagen. Ich wußte, daß sich die Kastanienbäume stumm hinter mir schlossen. Auf dem Feld war ein schwarzes Kaninchen.

Die Alten haben Pan verehrt – aber nicht wie Mr. Kenneth Grahame. ›Panik‹ ist von seinem Namen hergeleitet, auch ›panisch‹. Er war der Gott der Natur. Er war der Gott, der es angelegt hatte, daß die Frauen so Kinder bekommen, wie sie's eben tun. Er war der Gott, dessen Tiger in Indien dürre Rinder rissen, dessen Untertanen von Alligatoren gefressen wurden oder an schwärenden Wunden starben oder an Krebs – einerlei, woran. Er war der Gott der Tiere, von denen wir Menschen eine Ab-Art darstellen. Er hielt den Ausgleich in der Natur. Er erhielt uns – wie die Fasanen in Euston. Schiwa oder Pan, es war das gleiche: der Zerstörer und der Erhalter.

Das schwarze Kaninchen verwandelte meinen Erkundungstrieb in Panik. Es setzte sich auf, sah mich an, erwartete mich mit aufgerichteten Löffeln. Die Stille des Tals war beunruhigend. Kein Vogel sang. Ich stand in einer Biegung des Bachs; mein Kopf kuckte grad über das steile Ufer des Wasserlaufs. Es war noch Zeit, sich davonzustehlen. Als ich mich umdrehte, verschlug's mir doch glatt den Atem. Da, hinter mir, stand ein Wildhüter am Ufer. Der erste Wildhüter, den ich kennenlernte, hatte mir erzählt, er hätte gern ein schwarzes Kaninchen im Bau: denn wenn's verschwände, könnte er mit einem Blick erkennen, daß gewildert werde. Daran mußte ich jetzt denken und blickte mich zum Kaninchen um; doch das war verschwunden. Dann sah ich mir den seltsamen Mann an, den ich nie zuvor gesehen hatte.

Sein Gesicht kann ich Ihnen nicht beschreiben. Es war weder freundlich noch grausam. Vielleicht könnte man sagen: es war beides. Er hatte den ironischen Mund eines Hechts, knochig und räuberisch; aber seine Stärke hatte etwas Gutgelauntes, und um die Augen hatte er Krähenfüße. Er blickte auf mich herab, die Flinte in der Armbeuge; er hatte lange grobe Strümpfe an und rissige Stiefel mit Knöchelriemen.

Ich wußte sogleich, wer er war, doch sein Gesichtsausdruck milderte mein Entsetzen. Ich hatte zwar noch Angst vor ihm – ein ehrerbietiger Junge, der das Unvorhergesehene günstig zu stimmen versucht –, war aber nicht zu Tode erschreckt: nur ganz klein und höflich. Ich gab ihm meine gepunkteten Fische, und er nahm sie fachmännisch in die Hand, wobei er den Kopf senkte, und stopfte sie in seine Jagdtasche. Seine Hände waren braun, schwielig, verhornt, die Finger krallig gekrümmt. Die beiden Forellchen lagen niedlich nebeneinander in seiner Hand. Er neigte den Kopf und steckte sie weg und setzte sich, die Flinte auf den Knien, mit übergeschlagenen Beinen auf die Böschung des Bachs.

Er fing an zu reden. Zuerst biederte ich mich an, stellte pedantische Fragen, versuchte, ihn bei Laune zu halten, gab mir Mühe, ein aufmerksamer Zuhörer zu sein, las ihm die Worte vom Munde ab wie ein Schulkind. Er war genauso schrecklich wie ein Lehrer in jener Zeit, und ebenso entschieden und unnachsichtig.

Das dauerte nur eine kleine Weile. Keiner kann schrecklich sein, der die Wahrheit sagt, und Jungens erkennen das gleich. Er erzählte mir von der Welt: nicht von der Welt der Menschen mit

ihrem intellektuellen Widersinn, sondern von jener der Tiere. Er erzählte von den seltsamen Zehen der Haubentaucher und den roten Zähnen des Gänsesägers und von der Wildhuhn-Krankheit und von Furunkulose und Witterung und Losung und Schweiß und Schrotkorn-Größen und der alten Zeit des Roßhaars anstelle von Darm, und von der Entwicklung des Aals, und wie Nattern ihre Jungen fressen, und wie die Waldschnepfe sie trägt, und ob Fliegen sich an der Decke ›niederlassen‹, und vom Laichen des Lachses, und was Fische sehen können. Es war ein faszinierender Vortrag. Ich hörte gespannt zu, ohne Unterwürfigkeit, angerührt bis ins Herz. Wenn ich alles behalten hätte, was er von Infra-Rot und Ultra-Violett erzählt hat, wäre ich der größte Fliegen-Fischer aller Zeiten. Die größte Freude machte er mir wohl mit einer ganz einfachen Demonstration, die jeder Anfänger-Schütze versteht. Er ließ mich durch den offnen Lauf seiner Büchse blicken, der sauber war. Ungefähr eine Patronenlänge vom Bolzen waren die beiden schwarzen Ringe, von denen die meisten annehmen, sie markierten die Stelle, wo eine besondere Rinne für die Kartusche endet. Ich nahm an, es sei die Fassung für die Patrone, ein wenig weiter als der normale Lauf und aus mehr oder weniger ungehärtetem Stahl. Er ließ mich die Fassung mit dem Finger abtasten, dann mit einem Bleistift. Eine simple Untersuchung – für einen kleinen Jungen aber eine Offenbarung.
Ich erzählte ihm meinerseits von den Dingen, die ich entdeckt hatte. Sie mußten ihm längst geläufig sein, doch hörte er mit Anteilnahme zu. Wir sprachen übers Trommeln der Schnepfen. Ich erzählte ihm von meinen Hoffnungen und Ängsten. Ich erzählte ihm, daß ich's verabscheute, Fische totzumachen, und daß sie mir leid täten, wenn sie tot waren, wo sie doch so lebhaft im Wasser geschwommen hatten.
Er sagte: ›Die Colne fließt durch die Fluren von Gloucestershire. Der Kuckuck spricht den ganzen Tag zu dir und träumt über dem hörbaren Wasser. Er liegt unter der Böschung an der Erle, und die Vogelschwärme im März segeln in einer Armada. Der Fluß ist sauberes Wasser und flink, blasig und quirlig zwischen der Kresse,

voller Eintagsfliegen und Nymphen und Krebse. Die Sonne funkelt auf dem kristallenen Wasserlauf. Du kannst die Steine am Grunde sehn, in den Untiefen, und ein Hermelin ist über den Schafs-Draht gelaufen, der wie eine Hängebrücke funktioniert. Zweimal hat's die Balance verloren und sich, mit ängstlichem Quieken, wie ein Affe dran rumgedreht und ist zwischen deinen Beinen hindurch davongehuscht, als wärst du ein lebloser Gegenstand. Hör! Der Karrengaul, weiter unten am Fluß. Von klein auf badet er eifrig, und an einem Sonnentag geht er dreimal ins Wasser, wälzt sich, mit einem erstaunten Ausdruck, auf dem Rücken. Die Schwalben fliegen tief, und die Sonne senkt sich. Sieh die Forellen, wie sie sich an der Hecke drängen, Schulter an Schulter. Meinst du, wir könnten den großen Kerl unter der Erle kriegen, trotz des Kräuselns dazwischen, das die Fliege erwischt – wenn wir so werfen, daß sie ganz knapp über seiner braunen Nase hängt, ehe die Welle kommt?‹
›Aber ist das nicht grausam?‹ fragte ich.
Er sagte nur: ›Die Colne ist klar und fließt über die Kresse.‹
Er sagte: ›Jetzt sind wir auf dem Stoppelfeld, und wir haben sie da, wo sie hingehören. Horch, wie sie piepsen, mit erhobenen Köpfen. Sieh dir das Volk Feldhühner zur Rechten an, streichen von ihm ab wie Späne von einem angespitzten Bleistift; und siehst du, wie seine Büchse hochgeht und zwei Rauchfinger ausstreckt, ehe es knallt; und sieh, wie die beiden Vögel taumeln und in einem Geflatter von stiebenden Federn niederstürzen. Da ist der Knall, und der Qualm hängt in der Septemberluft, und der schwarze Labrador ist bei der Arbeit. Such – verloren! Such – verloren! Wir sind hinter der Hecke für ein Treiben, knien auf einem Knie, und das erste Volk ist über zwei Flinten zur Linken gekommen, kaum zwei Fuß über dem Boden und mit fünfzig Meilen knapp über die Knicks hinweg. Mit beiden Läufen hat er sie verfehlt, geschieht ihm recht. Und hier ist das zweite Volk über dem höheren Teil, mindestens vierzig. Die erste Büchse hat sie umgelenkt, mit beiden stummen Rauchpfeilen gefehlt, und die zweite Büchse hat sie mit demselben Ergebnis verjagt, und die dritte Flinte feuert, aber

dafür ist keine Zeit mehr. Sie sind genau oben drüber, hoch und auseinandergezogen, wie eine Handvoll hochgeschleuderter Lehmklumpen. Der erste Lauf dreht den anvisierten Vogel um, er schlägt Kobolz, mausetot, und der zweite bringt einen anderen aus der Vertikalen, ein Läufer, der nicht weit kommt: Die erste Dublette der Saison!‹
›Aber leiden sie nicht?‹ fragte ich.
Er sagte nur: ›Morgen herrscht Bodennebel, mit einem Frösteln in der Luft und Hunderten wohlgeformter Septemberwolken.‹
Er sagte: ›Es ist vier Uhr in der Frühe, und wir sind auf Enten aus. Was für ein *levée* war das in der schwarzen Finsternis: mit unsern trüben Augen und unrasierten Kinnladen, da wir vor Morgengrauen Rum und Kaffee tranken. Und nun sind wir hier, in heller Nacht und früh genug, daß wir sicher sein können: nichts ist uns zuvorgekommen. In einer halben Stunde sind sie hier: eine stattliche Vierer-Kette; wir werden sie hören, doch kaum sehn, und mit beiden Läufen fehlen. Die Fledermäuse werden noch im Früh-Licht Beute jagen, und eine große Libelle flügelt flatternd im Röhricht. Da sind sie wieder: vogel-fremd, pfeilförmig, zielstrebig, nur scheinbar verhalten fliegend. Die Schlangenhälse ausgestreckt und vorgereckt, mit einem kleinen Knoten am Ende: Vertrautes anvisierend. Jetzt kommen sie schnell, und rings ums Wasser knattert Gewehrfeuer, und deine Flinte ist so flink neu geladen wie du nur kannst, und die Ente platscht, tödlich getroffen, einem Stein gleich, ins Seerosen-Polster.‹
Ich sagte: ›Das muß qualvoll sein.‹
Er aber gab nur zur Antwort: ›Die letzte Ente kreist hoch, das helle Morgendämmern färbt ihr Bauchgefieder, daß sie wie eine Tafelente aussieht. Der winzige Vipern-Knopf ihres Kopfs wendet sich hierhin und dorten, genau über uns, in angstvoller Neugier.‹
›Was aber‹, sagte ich, ›was war mit dem verfolgten Fuchs?‹
›Hunde stöbern‹, sagte er, ›mit einem Läuten, das durch die Wälder hallt. Horch, hörst du ihr Geläut und des Jägers Horn? Während die Schützen beim Sattelpunkt verschnaufen und sich laben,

schlagen wir uns nach rechts. Nichts hält uns mehr, an diesem Wintermorgen. Hier ist ein Gattertor, wir können es gemächlich öffnen, und nun sind wir auf festem Weidegrund, vorab die Hindernisse. Das erste ist ein breiter Graben, für uns ein Labsal, sei er noch so weit und tief. Das zweite ist ein Oxer, kraftvoll übersprungen, die Mütze tief im Gesicht. Nun breitet sich das Tal vor uns aus, und wir können die Zäune zählen: ein halbes Dutzend blauer Stangen erstreckt sich in die Ferne zu unsern Füßen. Die Felder sind Smaragde, dazwischen eingestreut, und über allem hängen die hohen Wolken, und die Zweige knacken.‹
Ich sagte: ›Sie werden ihn in Stücke reißen.‹
Er sagte: ›Wie ein Glockenspiel – so sind sie aufeinander abgestimmt.‹
›Sieh dir das schieferige Wasser an‹, sagte er, ›mit blasigem Gekräusel obendrauf. Ein hoffnungsloser Tag für Lachse, möchtest du meinen, doch bei Fischen weiß man's nie. Wir haben alle Hoffnung aufgegeben und werfen unsre Angel mechanisch aus, den Wind im Rücken; der Wurf allein macht schon Freude. Scharf zurück und weich nach vorn: laß die Leine laufen. Es ist gut, mit einem riesigen Mar Lodge am Ende der surrenden Darm-Leine gerade zu werfen, und gäb's auch keinen einzigen Fisch auf der Welt. Der Jagdgehilfe raucht auf einem Wild-Beutel seine Pfeife, beobachtet uns mit freundlichem Interesse und Mitleid. Die Farben des Wassers geben ihm wenig Anlaß zur Hoffnung. Vor zehn Minuten sprang dort ein Fisch: ein Untier schnellte plötzlich hoch, zeigte Bauch und gespreizte Kiemen, und nur ein Narr nähm's mit ihm auf. Aber er springt dort, in Intervallen, den ganzen Tag schon, aber vielleicht beißen sie heute nicht. Vielleicht ist's was anderes. Daher der Mar Lodge. Dies ist der sechste Köder, mit dem wir's versuchen, mehr zum Zeitvertreib als irgend was sonst. Angefangen haben wir mit einer Forellen-Fliege, Claret mit Krickente sozusagen.
Versuchen wir's zum letztenmal mit diesem schwarzen Köder-Knäuel, das noch nie einen Fisch an die Angel gebracht hat. Es ist so groß wie ein Boots-Haken, pechschwarz mit einem Silbergür-

tel. Nur ein närrischer Lachs würde ihn annehmen, und nur ein Narr würde ihn anbieten, aber vielleicht sind wir beide verrückt. Und bei Gott: er hat angebissen. Herrjeh! sagt der Jagdgehilfe und ist aufgesprungen. Halt ihn, um des lieben Himmels willen. Schau: die Schnur schneidet durchs Wasser, zieht durch den Tümpel, wie ein Draht durch Käse fährt. Seht jetzt gefaßt auf die Uhr und merkt euch die Zeit. Wir setzen unsern Stolz darein, ihn unter zehn Minuten abzujagen. Obacht: du mußt ihm Leine geben, aber nur langsam, nur wenig. Wir werden mit ihm flußab schlendern. Fünf Minuten, und wir haben ihn noch nicht zu Gesicht gekriegt, nicht mal ein rostrotes Aufblitzen im Wasser. Jetzt nimmt er das Gesetz des Handelns ›in die Hand‹ und wir müssen ihm zum Ufer folgen. Macht nichts, geh mit, dadurch wird er müde. Obacht! Gleich springt er. Da flitzt und platscht er. Senk die Angel, wo er reinklatscht, und dreh ein, und eh du fertig bist, ist er schon wieder draußen. Drei Sprünge in schneller Folge, wie eine Furie. Was der für'n Krach macht! Ich würd ihn auf vierzehn Pfund taxieren. Jetzt wird er langsam müde; jetzt haben wir ihn an der Hüfte. Sei kein Sonntags-Angler und spiel nicht eine Dreiviertelstunde mit ihm rum. Hol ihn jetzt rein, zeig ihm eine harte Hand. Sag dem Gehilfen, er soll den Fischhaken sein lassen. Wir werden ihn nicht mit Samthandschuhen anfassen. Hier, spür ihn mal mit der Linken. Knie beugen, die Angel in der Rechten hoch überm Kopf. Hier haben wir ihn, unter uns; legt sich langsam auf die Seite; aber er sieht uns, wie wir über ihm stehn, und weg ist er wie der Blitz. Nun gut, du Prachtstück: darfst einmal im Tümpel rund. Bring ihn im Kreis rum und navigier ihn zu deinen Füßen. Wenn du runtergehst, haut er wieder ab, aber diesmal ist der Kreis nur ein paar Schritt weit. Jetzt haben wir ihn in der kleinen Bucht, und er liegt da und buddelt sich in die Böschung; das läßt uns um die Leine fürchten. Leg ihm den Haken sanft an die Seite. Kein Hauen und Hacken. Jeken. Jetzt gilt's. Da kommt alles drauf an. Jetzt einstechen und ziehen. Und da ist er, kommt die Böschung hoch, vierzehn Pfund silbrig-schwarzes Zappeln an der Spitze deines Hakengriffs!‹

Ich sagte: ›Armer Fisch!‹

›Ja‹, sagte der Wildhüter Pan und nickte. ›Aber in Schottland schneidet die Schnur durchs Wasser wie ein Draht durch Käse‹.«

Nicht vor Morgen

Der Knabe lag, mit dem Gesicht nach unten, andächtig in dem gewaltig-wilden Wald. Er war über die Maßen schön: wie die meisten Plantagenets. Von seinem Großvater hieß es, er habe das Gesicht eines Gottes gehabt; sein Ur-Urgroßvater soll der stärkste Mann im Königreich gewesen sein – so, wie man von King George V. als dem besten Schützen sprach –; und seine Mutter war unter dem gemeinen Volk als die ›Fee von Kent‹ bekannt. Er hatte gelbe Haare, in dem Alter, und die geschwungenen Lippen eines Taschen-Ramses aus Granit. Wie bei allen bezaubernden Gesichtern zeigte sich bereits eine Neigung zu Trauer oder Trübsinn, als enthalte die Schönheit ihre eigene Tragik, was vielleicht zutrifft. Er war erst zehn Jahre alt.

Diccon bewunderte den Wald: die Sonnenflecken, die die Wiese sprenkelten (es war Juli), das surrende Summen der Insekten in astronomischer Zahl, das vielfältige Vogel-Geflöte im Blattwerk der Bäume: und besonders eine Unzahl von Fliegen, die sich unter allen Blättern in Sichtweite versammelt hatten, so daß die von oben einfallende gefilterte Sonne aus jedem Blättchen einen kopfstehenden transparenten Tier-Tummelplatz machte.

An die sechshundert Jahre sind vergangen, seit der Knabe, vor Leben sprühend, im Walde lag. Die Jahre haben den Wald verändert, so daß vielleicht nur noch ein paar Eicheln in unsern ältesten Eichen überleben, und man hat das ganze Land derart verwandelt, daß man es nicht wiedererkennt. Ja: die Lichtung, auf der er lag, befindet sich jetzt irgendwo unter dem Pflaster von Croydon. Wollten wir zu ihm zurück und alles begreifen, müßten wir vierzig Millionen Cockneys weg-erinnern, die in Tunnels unter der Erde ihre teigigen Gesichter gegenseitig gräulich finden; müßten die Schornsteinreihen vergessen und das Werbe-Gedudel und die Aspro-Reklamen und die kostspieligen Vernichtungswaffen. Damals, zu seiner Zeit, gab's nur zwei oder drei Millionen Hinterwäldler in sämtlichen baumreichen Counties von England; an

Stelle von Fabrikschloten gab es aufragende Baumstämme, statt Aspro kleine verhutzelte Zauberweibchen, statt Spitfires den walisischen Langbogen; und in den Städten herrschte gesegnete Stille. Vor allem aber müssen wir uns, wenn wir uns den Unterschied so recht klarmachen wollen, den Wald vorstellen, in dem er andachtsvoll lag.

Er war gewaltig. Halb England war Wald. Denk an die Wälder, Wipfel an Wipfel, von Portsmouth bis Peterborough, und die Milliarden Blätter, wie sie singen oder schweigen, und die Stämme, einer neben dem andern, wie Säulen, Kolonnaden, Hallen, Dome, Königreiche. Denk an die Winterwinde, wie sie in Alt-England durch die kahlen Gerippe heulten, und an die Westwinde im Frühjahr und im Herbst, die durchs Laubwerk rasten und die zahllosen Arme schüttelten, bis das Dach des Waldes wie Haferbrei brodelte. Denk an sie im Schnee, wie sie ihre schwere weiße Last tragen: so, wie Büsche, die von Hausfrauen mit frischer Wäsche behängt sind. Denk an sie im zarten Grün des Mai-Monats, wenn die Jubel-Triller der Heidelerchen herabtönen. Denke, mit wieviel Leben sie angefüllt sein mußten: voll roter Eichhörnchen, die wir bald nicht mehr sehen werden, wie sie in einem Geraschel von Zweigen mit Schimpfrufen von Ast zu Ast springen; voller Ringeltauben und Fasanen, voller Frösche in grün-goldenen Rüstungen, zahmer als heutige, weil man nicht auf sie schoß; voller Kriech- und Krabbel-Getier ohne Zahl. Die Reiher-Weibchen in ihren liederlichen Horsten putzten ihr Gefieder, begrüßten die Männchen mit heiserem Gekrächz wie Straßenbohrer: Kak-kak-kak-kak-kak. Sogar Habichte gab's, in Freiheit; nicht zu reden von den Wölfen und Rehen und Hirschen, von den Königen wie eigene Kinder geliebt, und den Wildschweinen, Bachen und Ebern, die's jetzt nicht mehr gibt. Was nicht Wald war, war weitgehend Farn. In den unendlichen Weiten an Wash und Humber dröhnten die Rohrdommeln, flogen die Schatten der Gabelweihen übers Schilf, während das Wildgeflügel quakte oder schnatterte und die Küste (fünfhundert Jahre jünger als unsre) fauchte und pfiff.

Allerdings wäre es nicht ungefährlich, den ungeheuren Urwald zu idealisieren: denn in vielerlei Weise war's ein wahrer Dschungel. Dort konnte man, wie Diccon's Lieblingsdichter sagte, das Buschwerk teilen und sich von Angesicht zu Angesicht einem aufrecht sitzenden offenmäuligen Leichnam gegenüber sehen. Da war der Bösewicht mit dem Dolch im Gewande, dort der Kadaver im Gebüsch mit durchschnittener Kehle. Die Bäume bildeten eine perfekte Unterwelt. Man hob die Hand im Zorn, hatte eine kleine Meinungsverschiedenheit mit dem Steuer-Eintreiber: kurz flammte rasend die rote Wut auf, und schon schnitt die scharfe Schneide bis auf den Knochen. Alsdann trat man über die Leiche und öffnete die Hinterpforte – und da lag dieser grüne Wald und wartete auf einen: halb England. Es war ein gefahrvolles Leben: kein Camping im Wild-Reservat. Man mußte, in Sturm und Hagelschauer, unter Wurzeln oder einer überhängenden Uferböschung kampieren, oder in einer hastig errichteten Laubhütte inmitten der wilden Tiere im Dschungel. Auch gab es regelrechte Banden unter den Mitmenschen, Meuchelmörder mit eigener Moral, oft mit jenem sardonischen Humor, der amoralischen Menschen eigen zu sein scheint. Manchmal gaben sie ihren Gruppen oder *gangs* poetische Namen, behaupteten, die Mannen König Arthur's zu sein, oder die Rächer von Robin Hood, oder die *Minions of the Moon:* Ritter der Gerechtigkeit oder was immer. Manche trieben sich aus achtbaren Gründen umher, nicht um zu morden. Vor dreihundert langsamen Jahren erst war dieser Bastard ins Land gekommen. Bei der Invasion hatten seine Normannen die eigentlichen Bewohner des Landes gemetzelt und gemordet und enteignet, wie die Hunnen in Polen. Die Verfolgung der Enteigneten ging am Rande der letzten Hochburgen noch vage weiter: im wilden Wales und im fernen Schottland und unter den lauteren Iren. Etliche dieser Menschen, noch immer der alten und unwiderbringlichen Herrschaft der Sachsen und Kelten ergeben, lebten in Forst oder Farn: frei. Sie hatten ihre Geheim-Gesellschaften. Die Anführer der Gesetzlosen waren Wolfs-Köpfe, und wie Wölfe mußten sie umgebracht werden.

Vor allem gab's die Sozialisten und Kommunisten, Demagogen

oder Ideologen oder Tölpel, Lümmel und Haderlumpen. Zwanzig Jahre vor Diccon's Geburt war Europa von der furchtbarsten Pest-Plage der Geschichte verwüstet worden. Vorher hatten vier Millionen Menschen in England gelebt, nachher an die zweieinhalb. Von der Bevölkerung der damals bekannten Welt war fast die Hälfte in einem einzigen Jahr gestorben. Die Wirkung auf den Arbeitsmarkt war verheerend. Es entstand das Gegenteil von ›Arbeitslosigkeit‹: zuviel Arbeit, was vielleicht schlimmer war. Der Arbeiter hatte plötzlich, innerhalb eines Jahres, seinen Wert verdoppelt, und der Profit des Unternehmers hatte sich halbiert.
Da war dann der Wald voller Kommunisten, die rumliefen und sagten, die Kirche sei Humbug, besonders die reichen Klöster; und die Monarchie und die Adligen seien Diebe, die demProletariat die Produktionsmittel gestohlen hätten. ›Als Adam grub und Eva spann‹, so hieß es, als sei's ein Scherzrätsel, ›wo war da der Edelmann?‹ Einer ihrer Anführer sagte in einer Ansprache: ›Es stehet nicht zum besten im Engellande, noch wird diss seyn, biß alles ist gemeyn‹.
Auch hatten wir mit Frankreich vierzig Jahre lang im Krieg gelegen, einem Krieg der Plünderei.
Alte Soldaten, deren Handwerk das Töten gewesen war; Arbeiterführer; rassistische Agitatoren; Killer; Arbeitsscheue; Mörderbuben; Berufsdiebe; vielleicht ein paar Unschuldige, die wirklich die Freiheit liebten; dazu sehr viele, die das nur behaupteten – aus all diesen bestanden die Waldmänner, die auf verborgen-verschwiegenen Pfaden ihren geheimen Geschäften nachgingen (wie Kaninchen), doch stets den scharfen Stahl zur Hand.

›Für den Geächteten‹, sagten die Stubenhocker:

›Für den Gesetzlosen ist diss Gesetz,
Dass man ihn greife und binde,
Ohn Erbarmen zu haengen,
Und baumeln im Winde‹.

Zu Diccon's Zeit war's leicht, ein *outlaw* zu sein, ein Rechtloser, Geächteter. Es gab vier Hauptklassen der Bevölkerung: den Adel, den Klerus, die Städter und die Landarbeiter. Letztere waren die Vertreter des früheren Volks, das von den Normannen verjagt oder gefangengenommen worden war. Sie waren mehr oder weniger ohne Rechte, ausgenommen die Macht der Bräuche und gemeinschaftlichen Aktion, und in der Theorie gehörten sie den ersten beiden Klassen, wie Vieh. In der Praxis hingegen waren sie nicht ohne Freiheit. Häufig hatten sie dreißig Acker zu eigen, und ihre Wirtschaftskraft hatte sich seit dem Schwarzen Tod verdoppelt. Natürlich erließen die oberen Klassen Gesetze gegen sie und verordneten, daß sie nicht für höhere Löhne oder mehr Freiheit streiten oder streiken dürften, und daß sie die Höfe nicht verlassen dürften, auf denen sie geboren waren, um irgendwo ein besseres Auskommen zu suchen. Jene, die über einen ausgeprägten Gerechtigkeitssinn verfügten, oder die Halsstarrigen, oder die Sturen und Faulen und Vagabunden: die liefen ihren Herren trotzdem weg und wurden Geächtete.
Der Urwald hatte etwas Amerikanisches an sich: sowohl Nord- als auch Süd-Amerikanisches. Die kleinen Dörfer in den Rodungen ähnelten den Siedlungen kanadischer *lumberjacks:* hier wanderten – sickerten – jene durch, die den Negersklaven dort entsprachen, die aus dem Süden flohen; und überall gab's Viehdiebstahl und Polizei und den galoppierenden Sheriff, den man mit dem Wilden Westen in Verbindung bringt... alle vermischt und vermengt im Geheimnis des Waldlands, das an den Ufern des Amazonas hätte liegen können. In den Städten herrschte auch bereits so etwas wie eine Chicago-Atmosphäre, und die Bürgermeister gingen mit Leibwächtern zur Wahl.
All dies gehörte zu dem, was Diccon bewunderte. Man behauptet, Kinder seien Barbaren, und für Diccon gehörte das Blutvergießen und Pfeile-Schießen und Zerlumpt-im-Winde-Baumeln zum Alltag, war Indianer-Spielen in der Wirklichkeit. Er hatte Gewappnete um sich, in Rufweite, und für ihn war's gefahrlos, auf dem Bauch zu liegen und die Welt falsch zu deuten.

Denn er fehlinterpretierte sie in der Tat. Er war zu feinfühlend und zu liebevoll und hatte ein Herz für das Schöne. Ihm gefiel die Vorstellung des urigen Wildwalds und der Banditen und des edlen Aufeinanderprallens von Ritterrüstungen, ihm gefiel sogar die Vorstellung des Geächteten und Gauners am Galgen, sofern es eine Art böser Onkel war, der für seine Abscheulichkeiten rechtens baumelte – doch wenn er einem richtigen begegnete, irgendeinem elenden Hawkyn, Dawkyn, Tymkin oder Tyrry, der mit Geschwüren am Schienbein um Almosen bettelte, dann weinte Diccon, wenn es ihm nicht erlaubt war, dem Kerl Geld zu geben. Immer wieder wurde ihm lachend vorgehalten, wie er geflennt habe, als ihm klargeworden sei, was eine Sardine war! So ein Ding hatte er in Bordeaux gegessen, als er vier Jahre alt gewesen war, und seine Kinderfrau gefragt, was das wäre. Als die alte Mundina ihm erklärte, das sei ein toter Fisch mit abgeschnittenem Kopf, war er in Tränen ausgebrochen. Wie lebende Fische aussahen, das wußte er. Aber wegen eines Fisches zu flennen! sagte sein Cousin Harry voller Verachtung. Die Sache mit der Sardine war eine von Harry's ›Geheimwaffen‹ gegen ihn.
Wenn Diccon an Harry dachte, den er nicht leiden konnte, mußte er an seinen Onkel Thomas denken, den er noch weniger leiden mochte. Sein Onkel war zwölf Jahre älter als er selbst, also zweiundzwanzig. In dem Alter konnte man einen zehnjährigen Knaben leicht einschüchtern; nun: ›alt‹ war nicht die angemessene Bezeichnung, doch reichte es, unangenehm überlegen und physisch erdrückend zu sein.
Onkel Thomas und sein Busenfreund, der Earl of Arundel, waren abstoßend. Schwer zu erklären – sie waren von Rang und Stand. Ihre Mädchen-Geschichten, ihre männliche Überheblichkeit, ihre körperlichen Erfolge bei der Jagd, im Krieg und bei Turnieren und bei athletischen Wettkämpfen, dazu ihre geistige Stumpfheit und die Verachtung, die sie gegenüber seiner Vorliebe für Farben und Musik zeigten, dazu die sandfarbenen Schweinsborsten auf ihren Unterarmen – diese Dinge gingen ihm gegen den Strich. In ihrer Gegenwart fühlte er sich unbehaglich, wie ein Hund mit einer

Katze. Sie erniedrigten ihn mit dem arroganten Geheimnis der Geschlechtlichkeit. Sie sahen auf ihn herab.

Er wollte nicht an sie denken.

Diccon drehte sich auf den Rücken und blickte von unten an den Baumstämmen hoch. Sie stiegen wie Holme ins Grün, und die Sonnenstrahlen, die hindurchstachen, machten die hellen Flecken und Kringel (wie Scheinwerferlicht) zu bevorzugten Aufenthaltsorten vieler winziger Insekten. Acht Fuß über seiner Nase hangelte eine kleine Spinne am Ende ihres Webfadens, und Gespinst und Spinne leuchteten sekundenlang wie ein feuriger Tropfen Goldes.

Es war ein prachtvoller Tag: prächtig zu leben und Diccon zu sein. Ich! *Ich* werde dieses tun, ich werde jenes tun, ich werde so wunderbar sein wie die Welt, und deren Schönheit soll meinem Willen untertan sein. Wäre es möglich, Knaben und Mann gleichzeitig zu sehen, zeitgleich, dieselbe Person mit vierzig Lebensjahren dazwischen, und beider Stimme zu hören: den klaren herausfordernden Sopran und den stumpf gewordenen Bass – nur wenige könnten's, vielleicht, überleben.

Jetzt freilich war's noch die Pracht des Beginns. Er würde der größte König der Christenheit sein, und all diese Schurken wollte er *mores* lehren, so daß jedermann glücklich war; und er würde einen Waffenrock ganz aus gewirktem Golde tragen (eng anliegend), und sein guter alter Burley sollte zum Herzog gemacht werden, und seiner Kinderfrau wollte er eine Pension oder Rente aussetzen (doppelt so viel, wie andere je zur Verfügung hatten), und Robert de Vere würde er einen Ger-Falken besorgen, und seiner Mutter wollte er die kostbarste Krone der Welt kaufen (ganz mit den allerdicksten Edelsteinen besetzt), auf daß sie nicht mehr traurig zu sein brauchte, weil sein Vater gestorben war.

Dieser Gedanke, indes, machte ihn unglücklich. Ihm war sein Vater eingefallen. Er sah den ungefügen, aufgedunsenen, kranken, mißmutigen Mann vor sich, freundlich und verschwommen und an Wassersucht sterbend. In späteren Zeiten gewöhnte man sich an, ihn aus irgendeinem Grunde den Schwarzen Prinzen zu nen-

nen, doch zu Lebzeiten nannte ihn niemand so. Sie nannten ihn *Old Lead Foot*. Er war ein schweigsamer Vater gewesen, der einem kommentarlos beim Spielen zusah: für manche Menschen ein übermächtiger Mann. Diccon aber hatte Mitleid mit ihm gehabt und Bewunderung für ihn empfunden. Er war der größte Soldat gewesen, den man sich denken konnte. Er hatte die Schlachten von Crécy und Poitiers gewonnen (gegen eine Übermacht von zehn zu eins) und persönlich den König von Frankreich gefangengenommen, lebendigen Leibes! Sein Leitsatz hatte – abgesehen von ›*Ich Dien*‹ – gelautet: ›*Houmout*‹, was mehr oder weniger soviel hieß wie ›Köpfchen‹ oder ›Grips‹. Was Diccon nicht wußte: seine Heirat mit der Fee von Kent war sozusagen eine ›Ausreiß-Hochzeit‹ gewesen, als beide keine Küken mehr waren. *Lead Foot* war einunddreißig, und seine Frau dreiunddreißig, mit drei Kindern, als er sie, ohne Einwilligung des alten Königs, aus Liebe heiratete. Und dann hatte es ein paar Jahre der Liebe in Ehren gegeben, danach war die Ruhr gekommen und die Wassersucht (manche sprachen von Gift). Diesen vergifteten Klotz hatte Diccon bemitleidet: seine scharfen Kinder-Augen bemerkten den tragischen Kontrast zwischen Ende und Anfang. Zum Schluß kam die Woche, da er seinen Vater nicht mehr sehen durfte. Hernach: die traditionelle Totenklage und gewaltige Kerzen und das stille, bläuliche Gesicht, schlecht rasiert, mit einem feierlichen Ausdruck, so, als wisse es etwas – noch blasser denn je zuvor.
Wo war sein Vater, der Leidende, der einst ein großer Eroberer gewesen war? War er unter der Erde? Konnte er einen sehen? Die Leute sagten, das geschäh' mit jedem, so etwas Scheußliches, schließlich sogar mit ihm selber, mit Diccon.
Aber das war noch lange hin; er hatte endlos viel Zeit vor sich und brauchte nicht darüber nachzudenken. Vielleicht würde er hundert Jahre alt werden und dann in einem Siegeswagen gen Himmel fahren – wie der Mann in der Predigt.
Vielleicht aber würde er auch schon morgen sterben. Auf den Stufen zum Thron, gewissermaßen, würde er schwanken, totenblaß werden und sich ans Herz greifen – wie jetzt. »Nein, Mutter«,

wollte er sagen, als sie herbei eilte, um seinen fallenden Körper aufzufangen, »es ist zu spät. Ich sterbe für England!« Und Onkel Thomas tät's dann leid, daß er so unausstehlich gewesen war. Und alle würden weinen und sagen, was für ein wundervoller Mensch er doch gewesen sei; und er würde ein pompöses Begräbnis bekommen, und das ganze Land würde um ihn trauern...

Er wurde des Begräbnisses überdrüssig und ließ seine Blicke über den Boden gleiten. Die Farnkräuter und niederen Büsche und Schößlinge bildeten ein Wäldchen für sich, *en miniature*, unter dem Baumdach des wirklichen Waldes. Da gab es kleine Lichtungen und gefahrvolle Orte mit blutrünstigen Bestien (krabbelnden Kerbtieren): bereit, aus dem Hinterhalt ihrer Geächteten-Netze hervorzupreschen.

Wenn ich so klein wie eine Spinne wär, dachte er, wären diese Farnwedel für mich wie Bäume, und die richtigen Bäume so etwas wie Gebirge. Seltsam, wenn's so riesige Bäume gäbe, die so viel größer als diese wirklichen Bäume wären, wie diese wirklichen Bäume größer als die Farnwedel sind. Ja, und die kleineren Kräuter unter dem Farn – für die das Farnkraut schon ein Hochwald wäre. Dann würde sich alles in alles andere einfügen, so daß alles Kleine das Gleiche in größer über sich hätte, und das Gleiche unter sich in kleiner, und alle Welten paßten in andere Welten, bis schließlich... was?

Er blickte auf, und da stand Harry hinter einem Strauch und beobachtete ihn.

»Was machst du da?«

»Ich denke nach.«

»Worüber?«

Harry dachte an nichts anderes als an Sättel und Rüstungen und daran, daß er beim Reiten die Fersen unten halten sollte und wer beim Lanzenstechen überm Durchschnitt lag. Wie konnte man ihm erklären, daß man daran dachte, wie es wäre, wenn man ein winziges Spinnlein war? Diccon fühlte sich ertappt und genierte sich und fing an, heillos drauflloszulügen. Harry mußte man erzählen, daß man an etwas dachte, was mit dem zu tun hatte, was

gemeinhin getan wurde. So zimmerte er sich geschwind etwas zurecht. »Ich hab gedacht«, sagte er groß-sprecherisch, »daß ich mein Wappen ausschmücke, weil ich doch der Born der Ehre bin.«
»He?«
»Ich werde ein Goldkreuz in einem Silberfeld tragen.«
»Wieso?«
»Weil's schön ist.«
»Könnt schön sein«, sagte Harry, »aber's ist Metall auf Metall.« Und er brach in geringschätziges Gelächter aus. Er hatte seinen Cousin da, wo er ihn haben wollte. In der Heraldik herrschte das nahezu unumstößliche Gesetz, daß Metall niemals auf Metall gehörte, Farbe nicht auf Farbe, so, wie man bei einem Sandwich nicht einfach zwei Scheiben Brot unmittelbar aufeinander legt. Das unglückliche Goldkreuz hätte auf ein farbiges Feld gehört; oder wenn er ein silbernes Feld haben wollte, mußte das Kreuz aus Farbe sein. Metall auf Metall zu tun, war so schlimm wie ›mir‹ und ›mich‹ zu verwechseln. Diccon errötete.
»Aber schön wär's trotzdem.«
Und das wär's, in der Tat, gewesen.
»Schön!« sagte Harry. »Hübsch, hübsch, hübsch!«
»Der König von Jerusalem trägt ein Goldkreuz auf Silber.«
»Weil Jerusalem anders als anderswo ist, und es ist der Mittelpunkt der Welt, und das ist ja auch mit Absicht.«
»Und ich werd anders als alle andern sein.«
»Bist du aber nicht.«
»Ich...«
Es hatte keinen Zweck. Harry hatte so eine Art, einen nur dann anzusehen, wenn er einen verlegen machen konnte, so daß man den Blick abwandte; wer empfindsam war, konnte ihm also nicht in die Augen sehn.
»Jedenfalls«, sagte Harry, »hat's keinen Sinn, hier rumzuliegen und Hirngespinsten nachzuhängen. Alle sind sie auf der Suche nach dir, und Burley hat einen Anfall, und deine Nannie ist aus dem Schloß gekommen, und für dich ist's Schlafenszeit.«

Lauthals rief er in die Gegend. »Holla, Leute, holla! Hier ist er. Ich hab ihn gefunden. Er liegt auf der Lichtung.« Nun hatte er auch das verdorben. Er hatte sich absichtlich versteckt, weil er wußte, daß der Sohn des Königs von Frankreich einmal mehrere Tage lang allein in einem Wald verlorengegangen war und es deswegen eine Riesen-Aufregung gegeben hatte. Es wäre ihm lieb gewesen, wenn es seinetwegen einen solchen Aufruhr gegeben hätte – wenn er natürlich auch grinsend wieder aufgetaucht wäre, ehe es ernst wurde. Jetzt mußte er sich von Harry schändlich abführen lassen, und das Ganze war ein arger Reinfall. Absolut unerträglich aber war die Sache mit der ›Schlafenszeit‹. Harry war genauso alt wie er, und der alte König hatte sie am gleichen Tag zum Ritter geschlagen, aber Harry sagte, für ihn gebe es keine Schlafenszeit – womit er deutlichmachte, daß Diccon allein aus diesem Grunde schon als Säugling anzusehen sei. Harry war ein vorzüglicher Reiter (sagten alle), und er kannte sich in Heraldik aus und hatte mal an Whisky genippt und war überhaupt überlegen, und er wußte, daß der arme Diccon bloß ein armer Tagedieb war.

Alle kamen sie an, prustend und schnaubend.

Sir Simon Burley war unter den ersten. Er sah maulbeerfarbener aus denn je. Er war außer Puste und wollte gerade hrrremmm sagen, um sich zu artikulieren. Er hatte eine Menge zu artikulieren. Zum einen hatte er tatsächlich geglaubt, sein Schützling sei verloren gegangen, und zum andern war er soeben von Mundina beleidigt worden, weil's für den Jungen längst Schlafenszeit sei. An so einem langen Sommertag, wo die – hrrremmm – die Sonne noch so schön scheint, und wo – hrrremm – und...

»Hrrremmm«, sagte Sir Simon.

Mundina, die mit der zweiten Welle kam, sagte: »So, Master Diccon, is' wohl Zeit, daß kleine Jungs sich ins Bett gehörn, un du führst als so'n Tanz auf, un wie überhaupt jemand das Herz habn kann, mein klein Herzchen mutterseelenallein im großen Wald rumirren zu lassn, so ganz in'ner Fremde, das is, möcht'ch meinen, wenn's auch tausen'mal nich wahrsein dürft, is mehr, wie

manch Leut wolln wahrhabn, nich un wenn's wirklich un wahrhaftlich so wär'.«
»Ich will nicht ins Bett.«
»Kleine Kinder...«
Es war entsetzlich. Taten Frauen dies aus Boshaftigkeit, in der Absicht, einen Mann zu erniedrigen? Oder hatten sie kein Gefühl? Kleine Kinder und kleine Jungens und kleine Herzchen – und das vor Harry: vor *allen!*
»Ich will nicht ins Bett«, schrie er, »und ich geh nicht ins Bett!«
»Doch gehste, un' zwar augenblicklich.«
»Ich geh nicht, ich geh nicht, ich geh nicht!«
»Komm schon, Master Diccon, sonst kriegst'n paar Ohrfeigen.«
Ohrfeigen!
Das machte das Maß voll.
»Ich geh nicht ins Bett«, sagte er. »Ich geh nicht nach Hause. Ich haß dich. Ich haß dich. Wie kannst du so zu mir reden? Ich bin der König von England.«
»Aber nich' doch«, sagte Mundina, »nicht vor morgen.« Und mit erfahrener Hand packte sie ihn beim Kragen. Sogleich wurden die Pferde herbeigebracht, der Ausflug war vorbei, und sie ritten mit ihm heim nach Westminster.
Auf dem Heimweg dachte Diccon bitter: Was für einen Sinn hat's, zehn zu sein? Auch wenn ich morgen gekrönt würde, wär's Ewigkeiten hin, bis ich irgend was tun dürfte. Da sind haufenweise Onkels und Thronverweser und Kinderfrauen und Hauslehrer und darfst-dies-nicht und darfst-das-nicht und wart-bis-du-groß-bist.
Es schien noch schrecklich lange hin zu sein, bis er König von England werden würde.

Bitte umblättern:

Bibliothek der phantastischen Abenteuer

Eine Auswahl

Marion Zimmer Bradley (Hg.)
Schwertschwester
Magische Geschichten I
Band 2701
Wolfsschwester
Magische Geschichten II
Band 2718

T. H. White
Schloß Malplaquet oder Lilliput im Exil
Roman. Band 2702

Abraham Merritt
Das Volk der Fata Morgana
Roman. Band 2703

Henry Rider Haggard
Erik Hellauge
Roman. Band 2704

Thea von Harbou
Das indische Grabmal
Roman. Band 2705

Elizabeth Scarborough
Aman Akbars Harem
Roman. Band 2706
Zauberlied
Roman. Band 2721

Marcel Brion
Die Stadt im Sand
Roman. Band 2707

Sigfridur Skaldaspillir
Die Hexe von Orkney
Roman. Band 2708

Maribelle Cormack
Stern unter Segeln
Roman. Band 2709

Thorne Smith
Das Nachtleben der Götter
Roman. Band 2710
Topper
Roman. Band 2714
Topper geht auf Reisen
Roman. Band 2715

Peter Haining (Hg.)
Die Damen des Bösen
Viktorianische Geschichten
Band 2711

Mary Stewart
Wolfswald
Roman. Band 2712

Elizabeth Goudge
Das kleine weiße Pferd
Roman. Band 2713

Patricia C. Wrede
Schattenzauber
Roman. Band 2716

Kingsley Amis
Der grüne Mann
Roman. Band 2717

Mary Mackey
Kornmond und Dattelwein
Roman. Band 2719

Pierre Benoit
Die Königin von Atlantis
Roman. Band 2720

Arthur Lee Gould
Skandal in Bagdad
Roman. Band 2723

Steven Bauer
Satyrtag
Roman. Band 2722

Rudyard Kipling
Puck vom Buchsberg
Roman. Band 2724

Fischer Taschenbuch Verlag

fi 517 / 5

Bibliothek der phantastischen Abenteuer

T. H. White

Schloß Malplaquet oder Lilliput im Exil

Band 2702

Was ist eigentlich aus den Lilliputanern geworden, die durch Gullivers Schuld nach England gerieten? Diese brennende Frage klärt T. H. Whites Roman. Das uralte Schloß Malplaquet in einem fernen Winkel Englands ist Schauplatz der abenteuerlichen Erlebnisse der jungen Schloßherrin Maria, die im Park die Nachkommen des stolzen Volks von Lilliput entdeckt und mit ihrer Hilfe den Kampf um ihr Erbe aufnimmt. Ihre Gegner sind zwei gnadenlose Schurken, die aber dank einer feldmarschmäßig organisierten Offensive der Lilliputaner zuletzt doch mit Schimpf und Schande aus dem Schloß gejagt werden. »Malplaquet« parodiert zugleich sich selbst, die englische Kinderliteratur und das ganze phantastische Genre, das alles aber mit dem altertümlichen Charme und Witz der Lilliputaner und ihres Erfinders Swift.

David Henry Wilson

Ashmadi

Ein Märchen

Aus dem Englischen von Annemarie Böll
Mit 9 Federzeichnungen von
Claus-Dietrich Hentschel
253 Seiten. Geb.

»Die folgende Geschichte wurde mir von einem Mann diktiert, der unter dem Namen Robert bekannt ist. Wie es kam, daß er sich in meiner Obhut befand, wird sich am Ende der Erzählung herausstellen... ich veröffentliche sie, weil ich sie für ein bemerkenswertes und wertvolles Dokument halte, mag sie nun wahr oder erfunden sein.« So beginnt ›Ashmadi‹, und Dr. Erasmus erzählt die phantastische Geschichte einer Ratte, die – statt zu jagen und zu fressen wie ihresgleichen – von dem Phänomen »Mensch« und »Menschenmacht« fasziniert ist. Sie will herausfinden, wie und warum der Mensch zur mächtigsten und gefürchtetsten Kreatur werden konnte. Sie will ihn studieren, seine Methoden erlernen – und ihn schließlich mit seinen eigenen Mitteln schlagen können ... Bei der Verwirklichung ihres Plans wird sie unversehens ins Aschenputteldrama mit einbezogen: Die Lichtfrau, die Ashmadi – eine Küchenmagd – mit schönen Kleidern zum Fest des Prinzen schickt, verwandelt die Ratte in Robert, den Kutscher, der sie zum Schloß des Prinzen bringt. Als Robert um Mitternacht wieder in eine Ratte verwandelt wird, kehrt sie zu ihresgleichen zurück – muß aber feststellen, daß sie die Rattensprache weder sprechen noch verstehen kann.

›Ashmadi‹ ist ein ergreifendes, spannendes und nachdenklich stimmendes Märchen über das Anderssein, über die Liebe, über Menschlichkeit und Wahrhaftigkeit.

Wolfgang Krüger Verlag

John Crowley

Little Big
oder das Parlament der Feen

Aus dem Amerikanischen von Thomas Lundquist
Roman. 704 Seiten, geb.

»An einem gewissen Tag, im Juni 19–, machte sich ein junger Mann auf den Weg nach Norden, hinaus aus der Großen Stadt, und in ein Städtchen, oder einen Ort namens Edgewood, von dem er hatte erzählen hören, den er aber noch nie gesehen hatte. Sein Name war Smoky Barnable, und er ging nach Edgewood, um zu heiraten; die Tatsache, daß er wanderte und nicht fuhr, war eine der Bedingungen, die von vornherein an sein Kommen geknüpft waren...«
So beginnt ein Roman, dessen Zauber den Leser nicht leicht wieder freigeben wird. Ein Roman, der seltsam ist und komisch, sinnlich und geheimnisvoll, magisch und verblüffend. Er schildert in den schönsten Farben das Schicksal der Familie Drinkwater, die in Edgewood in einem riesigen Anwesen mit vielen verschiedenen Fassaden wohnt, einem Haus aus vielen Häusern, und die in engem Kontakt mit Feen, Geisterwesen und einer sprechenden Forelle lebt – oder doch zu leben scheint...
Jedes Detail dieser aufs buchstäblich Wundervollste verschlungenen Erzählung hat seine Bedeutung für das Ganze: Jedes Detail ist mitgeplant und mitbestimmt von den zahlreichen Feen, die diese Familie ständig halbgesehen umgeben und deren Intrigen ebenso komplex sind wie die des Autors.

S. Fischer

Hannah Closs

Tristan

Aus dem Englischen von Manfred Ohl
und Hans Sartorius
Roman. 318 Seiten, geb.

Cornwall, Irland, die Bretagne sind die Handlungsräume dieses spannenden und mitreißenden Romans, in dem die Tristan-Sage eine überraschende und faszinierende Ausdeutung erfährt. In ihrer Neu-Erzählung des klassischen Tristan-Gedichts aus dem 13. Jahrhundert hat Hannah Closs jene psychologischen Feinheiten und Verwobenheiten herausgefühlt, die in späteren Bearbeitungen häufig verlorengingen: die vielschichtige und widersprüchliche Natur des Helden, der zum einen Ritter und Krieger, zum anderen ein Sänger – ein Träumer – ist; vor allem Tristans Kindheit und Jugend werden in einzigartiger Weise dargestellt und als grundlegend für seine spätere Handlungsweise als Ritter und Sänger sichtbar.

Wie alle großen Liebessagen nimmt die Geschichte von Tristan und Isolde die Farben eines jeden nachfolgenden Zeitalters an, und von den keltischen Balladen der Gattenflucht bis hin zu den Todesekstasen Richard Wagners berührt ihr Thema – seltsames Miteinander von Leidenschaft und Geist, von Weltlichem und Heiligem, erregender Schönheit und unbarmherziger Tragik auch heute noch zutiefst und nachhaltig.

Wolfgang Krüger Verlag

fi 458/1

»Die wunderbarste Nach-Erzählung der Sage um König Artus, die ich je gelesen habe. Absolut unwiderstehlich.«
Isaac Asimov

Marion Zimmer Bradley

Die Nebel von Avalon

Roman. 1118 Seiten, geb.

auch lieferbar als Fischer Taschenbuch Band 8222

Marion Zimmer Bradley schuf ein gewaltiges Epos in der großen Tradition der Ritterromane, die anhand der Genealogie und des Schicksals großer Helden ein Stück Zeit- und Kulturgeschichte erzählen. Aber wohl zum ersten Mal sind es nicht nur die Ritter, sondern ebensosehr faszinierende Frauen, die das Geschehen bestimmen. In diesem Roman geht es nicht nur um Zeitkolorit oder um das Heraufbeschwören vergessener Ideale, sondern um Einblicke in geistige Zusammenhänge und um das Erhellen eines unverständlichen, märchenhaften Geschehens. Eifersucht, Kampf und Ängste, Haß und Liebe, Lust und schmerzliche Loyalität, Fanatismus und Leidenschaft, Magie, Macht und Ehrgeiz setzen folgenschwere Ereignisse in Gang und bestimmen das Leben der Menschen. Im Strom des großen Geschehens ist es ihre Zerrissenheit und Unsicherheit, ihr Denken, Fühlen und Handeln, dem man mit atemloser Spannung folgt.

Wolfgang Krüger Verlag

T.H.WHITE

Das Buch Merlin
Mit dem »Porträt eines Zauberers« von Frederik Hetmann.
256 Seiten. Leinen

»Das Buch ist mehr als ein Meisterwerk moderner Fantasy-Literatur. In der keltischen Historie findet White sein eigenes zentrales Thema: Krieg und wie er zu verhindern sei« (Bücher des Jahres).

Mr. White treibt auf der reißenden Liffey nach Dublin
Ein Überlebensroman. Übersetzt von Peter Naujack.
256 Seiten. Leinen

Eine moderne Sintflut-Geschichte, inszeniert von Mr. White, Mikey O'Callaghan, Mrs. O'Callaghan, einer kunstvoll gebastelten Arche, dem Erzengel Michael, der irischen Kirche, Armee und Marine. Der schlagende Beweis dafür, wie es sich überleben läßt.

Schloß Malplaquet oder Lilliput im Exil
Roman. Übersetzt von Rudolf Rocholl. Sonderausgabe. 224 Seiten

»Voller Einfälle, voller literarischer Zitate, mit wortschöpferischem Witz elegant übersetzt und so schön gemacht, daß man es mit vielfältigem Vergnügen liest« (Süddeutscher Rundfunk).

Kopfkalamitäten und andere Geschichten
Übersetzt von Rudolf Rocholl. 224 Seiten. Leinen

»Melancholische, witzige, ironische, gruselige und bittere Geschichten aus ›Old Merry England‹, diesem merkwürdigen Land, das nach White mehr Gespenster als Steuerzahler zählte« (stern).

Eugen Diederichs Verlag

CUM GRANO SALIS